Agrippina

Daniel Casper von Lohenstein

Herausgeber: Culturea (34, Hérault)
Druck: BOD - In de Tarpen 42, Norderstedt (Deutschland)
Website: http://culturea.fr
Kontakt: infos@culturea.fr
ISBN:9791041900381
Veröffentlichungsdatum: November 2022
Layout und Design: https://reedsy.com/
Dieses Buch wurde mit der Schriftart Bauer Bodoni gesetzt.

ER WIRT MIR GEBEN

Trauerspiel

Nihil rerum mortalium tam instabile ac fluxum est, quam fama potentiæ non suâ vi nixæ.

Cornel. Tacitus. l. 13. Annal. c. 19.

Der

Durchlauchtigen / Hochgebohrnen

Fürstin und Frauen /

Frauen *Louyse,*

Herzogin in Schlesien / zu

Liegnitz / Brieg und Wohlau / gebohrner

Fürstin zu Anhalt / Gräfin zu Ascanien /

Frauen zu Zerbst und

Berenburg /

Meiner Gnädigen Fürstin und

Frauen.

Durchlauchtige / Hochgebohrne Herzogin /Genädige Fürstin und Frau.

Agrippine / welche Rom anbethen / der Käyser verehren / die Völcker bedienen musten / meinet nunmehr den Giepfel ihrer Ehrsucht erlangt zu haben / wenn sie sich zu Eur: Fürstl. Genad: Füßen legen darff. Denn ihre Laster wüßen nirgends als bey den Tugenden einer großen Herzogin Gnade / und die / welche das Mord-Eisen ihres Sohnes nicht entfliehen kan /nur bey einer Mutter des Landes Beschirmung zu finden.

Ja sie würde sich in einem so ungeschickten teutschen Kleide nicht in das Zimmer so einer klugen Fürstin gewagt haben / als in welchem nebst unser gereinigten Muttersprache Welschlands scharfsinnige und Franckreichs liebliche Zunge Bürger-Recht gewonnen / wenn sie nicht von Eur: Fürstl. Genad: ruhmwürdigster Leitseeligkeit gelernt hette: Daß Tempel und Altar nicht schlechten Weyrauch verschmehen / das Purper-Corall und Perlen-reiche Meer auch die geringsten Bäche in ihre Schoos aufnehme /wenn sie schon nichts als Wasser zinsen.

Ja diese anitzt mit so viel oder mehrern Flecken auf dem Schauplatze erscheinende Käyserin hoffet von so Erlauchten Augen / Gestalt und Zierde zu borgen. Weil die strahlende Sonne auch die trüben Dünste der Erden empor zeucht / und in schöne Regenbogen verwandelt.

Werden diesemnach Eur: Fürstl: Genad: Ihr Schutz und Eintritt verstatten / wird sie in diesem Abriße so wenig allzu strenger Richter / als in der Asche sich fernern Schiffbruchs und Mutter-Mords zu besorgen /ich aber mich zu rühmen haben

Eur: Fürstl: Genad:
unterthänig gehohrsamen
Knecht
Daniel Casper.

Innhalt

Der Ersten Abhandlung.

Otho, welcher bey dem Käyser *Nero* zur Taffel war /lobet dem Käyser beweglich die Schönheit und Anmuth seines Ehweibes *Sabina Poppæa,* verachtet hingegen des Käysers Gemahlin die *Octavia;* Hierüber kommt des Käysers geheimster Freygelassener *Paris* ins Gemach / und berichtet: Daß Agrippine des *Nero* Mutter sich mit dem *Rubellius Plautus,* welchen sie zu heyrathen gedächte / wider den Käyser verbunden habe / auch ihm nach Zepter und Leben stünde. *Nero* fertigt den *Burrhus* und *Seneca* an Agrippinen ab /mit Befehl / sie / da sie schuldig / hinzurichten. *Agrippina* und *Octavia* klagen einander ihr Elend und die Verfolgung des Käysers: in deßen bricht *Burrhus* und *Seneca* nebst andern Käyserlichen in der Agrippinen Zimmer und setzen ihr wegen beschuldigter Untreu harte zu / die sich aber nicht allein hertzhaft vertheidiget / sondern sie reiniget sich auch bey dem *Nero* derogestalt: Daß ihre Ankläger gestrafft / ihre Zugethane aber zu hohen Würden erhoben werden. Die Gerechtigkeit stellet im Reyen für: Daß doch endlich die Tugend siege / die Laster zu Grunde gehen.

Der Andern Abhandlung.

Als *Nero* sich die *Sabina Poppæa* zu der Wollust und seinem Gefallen zu bringen bemühet / reitzet sie den verliebten Käyser an: Daß er Octavien verstoßen /Agrippinen hinrichten solle; als welche beyde ihr- und seiner Liebe am Wege stünden. Hierzu hilft *Paris* euserst / und gibt dem Käyser den Rath: daß er den *Otho,* umb alle Schälsucht zu verhütten / zum Landvogte in Portugal machen solte. *Agrippina* und *Octavia* suchen hingegen bey dem *Burrhus* und *Seneca* Beystand / und reitzen sie wider den Käyser beweglich / aber vergebens an. Als diser Anschlag ihnen fehlet / bemühen sie sich abermals umbsonst den *Otho* zur Eyfersucht wegen seines Ehweibes wider den Käyser aufzufrischen. Der Käyser bestätigt und verschickt den *Otho* als Landvogt in Portugal. In dem Reyen klaget die

Rubria ihren Schwestern den *Vesta*lischen Jungfrauen: Daß sie *Nero* genothzwängt habe / weissaget auch dem Käyser den Untergang.

Der Dritten Abhandlung.

Als *Burrhus* und *Seneca* vernehmen von des Käysers Freygelassenen *Acte:* Daß *Agrippine* den *Nero* zu Unkeuschheit anreitze; heißen sie sie ins Zimmer dringen / und ihm: Daß die Käyserliche Leibwache wegen vermutheter Ubelthat / übel zu frieden sey /vorhalten. *Agrippina* reitzet den Käyser mit hitzigem Eyser zur Bluttschande an / umb dardurch ihn von der *Sabina Poppæa* abwendig zu machen: Sie aber wird von der eindringenden *Acte* gestöret. *Paris* mahlet hierauf dem Käyser für die ungezähmte und Sterbens-würdige Begierde seiner unkeuschen Mutter: Bringet ihn auch so weit: Daß er sie zu tödten williget; und nach allerhand Berathschlagung nimmt er des *Anicetus* Vorschlag an: Daß er die *Agrippine* auf einem künstlichen von sich selbst zerfallenden Schiffe ersäuffen wolle: auf selbtes sie nun zu locken / begibt er sich nach *Bajæ,* und ladet sie ihm nachzufolgen mit ersinnlichsten Liebes-Bezeugungen ein; Küsset ihr auch den Abschied nehmende Mund und Brüste. Die See- und Berg-Göttinnen bilden im Reyen der *Agrippinen* Verrätherischen Schiffbruch ab.

Der Vierdten Abhandlung.

Des *Britannicus* Geist verweiset dem schlaffenden *Nero* den Bruder-Mord und eröfnet ihm zugleich den vergebenen Außschlag des angestellten Schiffbruchs; welches dem erwachenden Käyser *Paris* mit Schrecken mehr bestätigt und die Ankunfft des von der *Agrippinen* abgesendeten *Agerinus* berichtet. *Seneca* gibt dem furchtsamen Käyser den

Rath die Mutter zu tödten / welches *Anicetus* ins Werck zu sätzen auf sich nimmt / diese Arglist vorschlagende: Der Käyser solle vorgeben: *Agrippine* hette den *Agerinus* umb den *Nero* Meuchelmördrisch hinzurichten abgeschickt / zu deßen Bescheinigung er denn bey der Verhör ihm einen giftigen Dolch / als wenn er dem Abgesendeten entfiele / zwischen die Beine wirfft. Deßhalben *Agerinus* den Meichel-Mord zu bekennen vergebens gemartert und endlich hingerichtet wird. Im Reyen wird entworffen / wie die heftigste auch von der Natur eingepflantzte Liebe durch Zeit und Todt entwaffnet / von Ehrsucht aber in schröckliche Gestalt verendert werde.

Der Fünfften Abhandlung.

Die von dem Schiffbruche mit einer Wunden entkommene *Agrippine* beklagt die arglistige Nachstellung ihres Sohnes / erweget ihre begangene Missethaten und weissagt ihr selbst ihren nahen Untergang / als *Anicetus, Herculeus* und *Oloaritus* mit Gewalt in ihr Zimmer / in welchem sie alle Ihrige verlassen / brechen / und zwar *Herculeus* sie mit einem Prügel über den Kopff schläget / *Oloaritus* aber sie im Bette liegende und den nackten Leib hervorstreckende mit vielen Stichen ermordet. *Nero* kommet / beuchet die entseelte Mutter / lobet und schilt ihre Gestalt und Thaten / *Seneca* aber gibt dem *Nero* den Mutter-Mord zu Rom zu entschuldigen / allerhand Beschönungen an die Hand / und *Nero* ruffet alle der *Agrippinen* halben Verwiesene und andere Straffen zurücke / heist auch die Todte aufs schlechteste verbrennen. *Poppæa* bewegt den *Nero:* Daß er *Octavien* noch selbigen Tag zu verstoßen entschleußt / hierüber wird er von der *Agrippinen* Geiste erschrecket / vom *Burrhus* aber /welcher die Soldaten gegen dem Käyser ihre Treue zu bezeugen anermahnet / wieder aufgemuntert. Bey dem eingeäscherten Holtzstoße reden *Paris* und *Anicetus* von der *Agrippinen* schlechten Begräbnüße schimpflich / *Mnester* aber / ihr Freygelassener / entleibet sich selbst. *Nero* bemühet sich durch einen Zauberer und Todten-Opffer den Geist der ermordeten Mutter zu beschweren und zu versöhnen / wird aber von den erscheinenden *Furien* und des *Orestes* und *Alcmæon* Geistern derogestalt erschreckt: Daß er nebst dem

Zauberer in Ohnmacht sincket. Im Reyen wird von den *Furien* die Marter eines bösen Gewissens für Augen gestellet.

Personen des Trauer-Spiels.

Agrippina, des Käysers Nero Mutter.

Nero, römischer Käyser.

Octavia, des Käysers Gemahlin.

Burrhus, des Käysers oberster Hoffmeister.

Seneca, sein geheimster Rath.

Otho, ein edler Römer.

Sabina Poppæa, des Otho Ehfrau.

Paris,
Anicetus, , des Käysers Getreue.

Acte, des Käysers Freygelaßene und Buhlschafft.

L. Agerinus,
Mnester, , der Agrippinen Freygelaßene.

Des Britannicus Geist.

Sofia, der Agrippinen Bediente.

Herculeus Trierarchus.

Oloaritus, ein Hauptmann von der Leibwache.

Agrippinens Geist.

Zoroaster, ein Zauberer nebst seinem Diener.

Ein Hauptmann von der Leibwache.

Stumme Personen.

Etliche Freygelaßene des Käysers.

Etliche Hauptleute.

Trabanten.

Todten-Gräber.

Nachrichter.

Reyen.

Der Gerechtigkeit / der Tugenden / der Laster / der Rache / der Belohnung.

Rubria und sechs andere Vestalische Jungfrauen.

Reyen der See- und Berg-Göttinnen.

Reyen der Liebe / der Zeit / des Todes und der Ehrsucht.

Reyen der drey Furien Megæra, Alecto, Tisiphone, der Geister des Orestes und Alcmæon, welche zugleich zwey Harpyien aufführen.

Das Schauspiel beginnet den achtzehenden Mertz nach Mitternacht / wehret den Tag durch bis wieder nach Mitternacht.

Die erste Abhandlung.

Der Schauplatz stellet vor des Käysers Gemach.

Nero. Otho.

NERO.

So ists! Die Sonn erstarrt für unsers Hauptes Glantz /
Die Welt für unser Macht. Des Ninus Sieges-Krantz
Verwelckt für unserm Ruhm: Cyaxarens Gelücke
Muß für des Käysers Sieg den Krebsgang gehn zurücke /
Und Nerons Blitzen sängt der Grichen Lorbern weg.
Rom schätzt sich selbst zu tief für unsrer Thaten Zweck;
Die Erde sich zu klein zum Schauplatz unsrer Wercke.
Des Numa Heyligkeit / des Römschen Vaters Stärcke /
Der Muth des Julius / Tiberius Verstand
Sind Schatten unsers Thuns und Spielwerck dieser Hand.
Saturnus güldne Zeit ist gegen dieser eysern.
Sieg / Friede / Wolstand hat bey allen andern Käysern
Nie / wie bey uns geblüht. Araxens gröste Stadt[1]
Hat unser Arm geschleifft. Der Tiridates hat[2]
Durch Fußfall erst von uns erkauffet Gnad und Güte;
Und Vologesus schickt[3] aus Arsaces Geblüte
Uns Geißel seiner Treu. Des Janus Thor steht zu.
Der Käyser siht den Preiß / die Stadt den Nutz der Ruh.
Die Schoß des Jupiters[4] ligt voller Lorber-Zweige:
Man zehlt kaum / wie viel Rom uns Sieges-Bogen zeige /
Der neue Schauplatz gibt dem Volck Erlustigung /
Das Außtheiln reichen Gelds[5] / der Zölle Minderung
Den Bürgern Lufft / uns Gunst. Wir haben viel verwehret /

Mit was der große Rath uns zu beehrn begehret;
Doch mein Gedächtnüs wird darumb nicht abgethan /
Fängt mein Geburthstag[6] gleich des Jahres Lauff nicht an /
Und Nerons Bild wird stehn im Tempel treuer Seelen /
Darff man mir es gleich nicht mit güldnem Ertzt außhölen.

OTHO.

Wahr ist es: Daß die Welt die Seegel für dir streicht /
Der wilde Parth ist zahm / der kühne Mede weicht /
Weil dir das Kriegsfeld Palm / und ihm Zipreßen träget:
Rom hat den Harnisch ab / ein Lust-Kleid angeleget /
Die Länder sind von Oel mehr / als von Blutte fett.
Wie / wenn die Morgen-Röth aus Amphitritens Bett
An blauen Himmel steigt / die düstren Dünste schwinden /
So scheint die Tugend[7] auch ietzt neuen Stand zu finden
Die Laster flucht und flieht. Und wie kans anders seyn?
Wie soll nicht Glücke blühn? Und Wolfarth lauffen ein /
Wo sich ein weiser Fürst zum Steuer-Ruder setzet /
Wo treuer Sorgen Schweiß die dürre Pflantze netzet
Des allgemeinen Heils? Wie soll der Welt-Kreiß nicht
Mit Treu und Demuth ehrn die Sonne / die ihr Licht
Uns schencket / nicht verkaufft? Für Bäumen sich zu neigen /
Da uns die Zweige Frucht / die Blätter Schatten zeugen /
Ist allgemeine Pflicht. Allein ich zweiffle fast:
Daß / da des Regiments fast Centner-schwere Last
Gleich soll so sanffte seyn / bey dem so großen Glücke /
Dem Käyser nichts entgeh / was nicht mit süßem Blicke
Manch Bürger schauen kan. Daß der Lucröner Flutt
Die Austern[8] auff den Tisch / der Schnecke sparsam Blutt /
Zum Purpur-färben schickt: Daß Phænicopter Zungen[9] /
Daß Papegäyen / die erst als ein Mensch gesungen[10] /
Daß kostbahres Gehirn aus Pfauen und Phasan[11] /

Daß der Lampreten Milch[12] nebst Scarus Lebern[13] man
Auffs Käysers Taffel zinst; Daß man in Berg-Kristallen[14]
Wenn gleich der Hunds-stern schmältzt / gefrornen Schnee läst fallen /
Daß fern-gepreßten Wein mit Eise man erfrischt /
Und in den reiffen Herbst des Frülings Rosen mischt;
Daß Porcellan[15] / Rubin / des Käysers Tranck muß faßen /
Wenn frembder Perlen Schnee in Eßig wird zerlaßen;[16]
Daß endlich ihm ein Fürst aus Balsam macht ein Bad /
Ist wenig sonderlichs. Ein Knecht des Käysers hat
Diß alles nachgethan. Daß er mit minder Wagen[17]
Als Tausenden nicht fährt / und seinen Zug beschlagen
Mit dichtem Silber läßt; Daß er kein Kleid zweymahl /
Wie kostbahr es ist / trägt; ist ein geringer Strahl
Der Käyserlichen Lust. Das güldne Hauß / die Seen /
Die Zimmer / welche stets so / wie die Welt umbgehen /
Die Deck / aus der allzeit wolrichend Ambra rinnt /
Der Seulen Helffenbein / die güldnen Netze sind
Zum Ansehn / schlecht zur Lust / ja nur ein todtes Wesen.
Der Zucker dieser Welt / durch welchen wir genesen /
Ist Schönheit / Liebes-Reitz. Es tauschte Mulciber /
Wie arm er ist / umbs Reich nicht mit dem Jupiter.
Sein schwartzes Hauß / da er kan bey der Venus liegen
Gibt mehr / als Jupitern die Sternenburg / Vergnügen.
Zu dem so steh ich an; Ob ihm der Käyser auch
Durch manchen Gnadenstrahl nicht mehr Verachtungs-Rauch
Als Liebes-flamm erweckt in den verwehnten Sinnen /
Die aus dem Feuer Eiß / aus Hold-sein Haß gewinnen.

NERO.

Wo zielt die Red hinaus? Wo scheutert unser Kahn
Der Gnaden? Und wer geht der Wollust-Libgen Bahn
Vergnügter / als der Fürst?

OTHO.

Der den Poppee liebet /

Wenn dir Octavie / mein Fürst / nur Eckel giebet:

Der / den die Schönheit selbst in edle Armen schränckt:

Wenn gifftge Schälsucht dich mit kalter Unlust kränckt.

Großmächtger Herr und Fürst / vergib der freyen Zungen /

Die Warheit hat mir diß Bekäntnüs abgezwungen.

Rom und der Käyser kennt die Gaben aller zwey:

Zwar / daß Octavie des Käysers Tochter sey

Ist etwas / aber nichts / das Lieb und Brunst vergnüget /

Die lieber offt auff Stroh als weichem Purpur lieget.

Wie wol Poppeens Stamm[18] auch Bürger-Meister zehlt:

Und Sieges-Kräntze trägt. Der Käyserin zwar fehlt

Die Schönheit auch nicht gar; Doch ist sie nur ein Schatten

Für dieser / die sie Rom nicht darff zu sehn gestatten /[19]

Da nicht die Tiber soll voll lichter Flammen stehn.

Und wie sol nicht solch Schmuck Sabinens Ruhm erhöhn:

Da ihre Mutter auch die Schönste[20] war der Frauen /

Denn Adler bringen ja nur Adler / Pfaue Pfauen.

Zu dem / was ist die Pracht der Glieder / die die Glutt

Durch Lieb-reitz nicht beseelt? Es trägt die kalte Flutt

Corallen / die so schön als trockne Lippen brennen /

Die nie kein Kuß bethaut. Die Brust ist Schnee zu nennen /

Wo auff der See-voll Milch kein sanffter Liebes-Wind

Umb die zwey Felsen spielt. Die stillen Augen sind

Nur Fackeln ohne Licht / und Bogen ohne Pfeile.

Die Tulipane sticht mit Farben wol zuweile

Den Glantz der Rose weg: Doch wer zeicht die nicht für /

Die so viel Anmuth giebt durch den Geruch von ihr?

Der Seelen-Liebreitz ist der Schönheit Geist und Leben /

Der Liebe Saltz und Oel. Soll dieses Anmuth geben?

Wenn sich Octavie bey blühender Gestalt /
Wenn er sie küsset / todt / für seinen Flammen kalt /
Bey seinen Seufftzern taub / bey seiner Gunst vergället
Ja steinerner als Stein Pigmalions[21] anstellet?
Wenn sie / nun ietzt der Fürst (den Rom und Grichenland[22]
Als einen Orfeus hört) die Harfen in der Hand
Die Lorbern auff dem Haupt in Phoebus Tempel bringet
Umb den Britannicus[23] bey Agrippinen singet
Ein stachlicht Grabelied? Hingegen wie beglückt
Wird Otho vom Panket des Käysers heim geschickt!
Die Tiber leitet ihn in Hafen der Begierden /
Poppee schleußt mir auff den Garten aller Zierden /
Das Paradies der Lust / wo ihrer Wangen Licht
Den Frühling mit Geblüm / ihr blitzend Angesicht
Den Sommer / ihre Brust den Herbst mit Aepffeln zeuget.
Ja / wenn in Mitternacht nicht einig Stern auffsteiget /
Ist ihr liebkosend Mund mir eine Morgenröth /
Nach der in Augen mir die Doppel-Sonn auffgeht.
Die Venus hat kein mahl so den Adon empfangen /
Wie Sie / der Edlen Blum[24] und jedermans Verlangen
Die Lust der Seeligen / mich bewillkommen kan.
Der Nelcken-Mund grüßt mich mit freyem Lächeln an /
Die Armen schliessen Sie und meinen Geist zusammen.
Ihr spielend Augen-Blitz entzündet Brand und Flammen;
Aus ihrer Brust kwilt mir solch kräfftig Himmel-brod /
Solch eine Nectar-See: Daß ich der Donner-Gott
Mich achtete zu seyn / wenn diesen Safft der Rebe
Ein Ganimedes mir / nicht eine Venus gäbe.
So schifft mein Liebes-Schiff / und fährt in Hafen an /
Biß die Begiehrde nicht mehr weiter rudern kan.

NERO.

Ach! Leider! ja du mahlst mit ungefälschten Farben
Die Wonne deiner Seel und unsers Hertzens Narben /
Den Zucker deiner Lust / die Wermuth unsrer Pein!
Des Käysers Auge muß der Warheit Zeuge seyn.
Wir haben / wenn Poppe' je ist auffs Schloß erschienen
Verwundernd angeschaut / die feuchten Mund-Rubinen /
Verwundet durchs Geschoß der Anmuth uns gefühlt /
Wenns Auge mit dem Blick / die Brust mit Athem spielt.
Wolan! empfang das Glaß auff Wolergehn der Frauen /
Die heute dich umbarmt und morgen Uns soll schauen.

OTHO.

Sie ist des Fürsten Magd.

NERO.

Der Fürst dein und ihr Freund.
Wo ist ein Venus-Stern der aber itzt uns scheint?
Nun! Nero mag sich nicht mehr mit der Gramen kwälen /
Wil Weibern / die zeither geherscht / itzt selbft befehlen.

Nero. Paris. Otho. Burrhus. Seneca.
Ein Hauptmann.

NERO.

Wie Paris so erblaßt?[25] Woher bey später Nacht?

PARIS.

Die Noth hat mich ins Schloß / die Treu ins Zimmer bracht.

NERO.

Wie bebstu? Was für Angst hält dein Gemüth umbgeben?

PARIS.

Nicht mir / dem Nero gehts umbs Käyserthumb / umbs Leben.

NERO.

Uns umb das Käyserthum / umbs Leben? Was für Feind

Dreut unser Zederfall?

PARIS.

Ich zittere den Freund

Zu nennen.

NERO.

Wen? Den Freund?

PARIS.

Der es am meisten schiene

Zu seyn.

NERO.

Eröffn es bald / wer ist es?

PARIS.

Agrippine.

NERO.

Die nach dem Reich uns steht?

PARIS.

Auch nach dem Leben strebt.

NERO.

Schlag Donner! Wo in Rom solch eine Wölffin lebt.

Welch Drache frist sein Kind? Welch Wurm erbeißt die Jungen?

Wenn hat ein Panther-Thier je seine Frucht verschlungen?

Entmenschtes Mutterhertz! Vergiffte Raserey!

Die Porcellane springt von schlechtem Gifft entzwey:

Und ihre Mutter-brust umbfängt nicht nur / sie hecket

Solch Gifft; Das auch der Schlang- und Nattern bitter schmecket.

Wer hilfft? Wer rettet uns? Berufft den Seneca /

Verstärckt die Leib-Wach!

OTHO.

Ist die Noth so groß / so nah?

PARIS.

Man kan nicht klug genung Flamm und Verräther hütten.

NERO.

Erzehl es / was sie wil auff Uns für Grimm außschütten.

PARIS.

Sie / die voll Ehrsucht brennt / nach Kinder-Blutte dürst /
Auf strenge Rache sinnt: Daß Nero selber Fürst
Und nicht ihr Knecht mehr ist; Daß sie nicht Parth und Persen
Soll Fürsten stellen für / und über Käyser herrschen;
Daß hinter der Tapet[26] sie ietzt nicht Rath mit hält /
Daß kein Caractacus[27] ihr nicht zu Fuße fällt /
Daß sie Armeniens Gesandschafft nicht darff ehren;[28]
Wil / was ein rasend Weib für Schelmstück könne / lehren /
Hat den Rubellius[29] Verräthrisch auffgehetzt:
Daß er sich des August so nahen Enckel schätzt
Zum Käyser würdiger als Nero / der sich hätte
Durch Gifft in Thron gespielt. In Agrippinens Bette
Stieg er mit reinerm Recht / als dem Silanus Braut[30]
Und die er Schwester hieß / Eydbrüchig ward vertraut.
Diß sprenget Plautus aus.

NERO.

Er darff sich diß erkühnen?
Ist Schwerdt / ist Feuer dar / für ihn und Agrippinen?

PARIS.

Sie / die ihm Thron und Eh / und dir den Todt geschworn /
Hat bey fast offner That die Reu und Furcht verlohrn /
Gibt vor; EinTheil der Schaar die umb den Käyser wache
Sey ihr zu Dienst erkaufft / der Rath rühm ihre Sache.

NERO.

Ists gläublich: Daß sie diß wag auff ihr eigen Hauß?

PARIS.

Calvisius beschwerts /[31] Iturius sagts aus /

Die sie sich hat bemüht in Meyneid einzuflechten.

OTHO.

Man preßt die Warheit leicht durch Marter aus den Knechten /[32]

Die / wann die Mayestät verletzt ist / man mit Fug

Dem Kläger eignet zu.

PARIS.

Ein offenbar Betrug

Darf strenger Fragen nicht. Silane sagts in Gütten /[33]

Die / seit der Fürst die Macht der Mutter was verschnitten /

Sie als ihr eigen Hertz allzeit zu Rathe nahm /

Wordurch sie hinter diß und alles andre kam

Was sie im Schilde führt. Silan' hat selbst gelesen

Des Plautus Heyraths-Schluß.

NERO.

Wir sind zu gutt gewesen /

Ja / leider! gar zu blind: Daß man Sie nur verstieß /

Als sie ihr falsches Hertz schon von sich blicken ließ.

PARIS.

Ein Wurm wird nur erhitzt / den man nur neckt / nicht tödtet.

Nichts / als das Rach-Schwerdt nur / das Blut und Flamme röthet

Tilgt der Regiersucht Brand.

NERO.

Ja / unsre grimme Gnad

Ist Hencker unsrer Seel / und ärgste Missethat /

Die wir durch unsern Fall itzt allzu theuer büßen.

OTHO.

Der Fürst wird ein schwach Weib ja noch zu dämpfen wissen.

NERO.

Der Rath und Läger mehr als uns ist zugethan?

Wir leider! sind nur hin.

SENECA.

Was ficht den Käyser an?

NERO.

Die Mutter hat sich selbst auff unsern Hals verschworen.

SENECA.

Die Mutter? ich erstarr! auff den / den sie gebohren?

OTHO.

Sie ist des Plautus Braut / Rom ist ihr Heyrath-Gutt.

SENECA.

Mir kommts unglaublich vor. Der Käyser muß den Muth

Nicht furchtsam lassen falln. Sind die geharnschten Scharen

Nicht mächtig Rom und ihn für Meineyd zu bewahren?

PARIS.

Rom und der Käyser fällt / da man die Schlange nicht /

Eh sie erwacht / erdrückt. Man stech eh / als sie sticht.

NERO.

Daß Agrippine sterb? und Plautus untergehe.

Ists aber gutt: Daß man des Wercks sich unterstehe /

Nun Burrhus Hauptmann ist /[34] dem sie die Würde gab?[35]

Nein / sicher! fordert Schwerdt und Gürtel von ihm ab /[36]

Die wir nebst Würd und Ampt Cæcinen wolln ertheilen.

SENECA.

Der Käyser wird hierdurch sich schädlich übereilen.

Die Mutter unverhört / den Bluttsfreund aus Verdacht

Zu tödten / ist ein Werck zusehr mißbrauchter Macht.

Den Burrhus ohne Schuld so schimpfflich abzusetzen

Scheint noch gefährlicher. Offt / was wir einen schätzen /

Wird er / ist ers gleich nicht. Ich selbst wil Bürge seyn /

Daß Burrhus Treu ihm nicht brenn ein solch Brandmahl ein.

Ist Plautus überzeugt? Die Mutter überführet?

Man prüf / eh als man schleust / wo Zeug und Klag herrühret.

PARIS.

Calvisius / Itur / Silane sagens aus.

SENECA.

Die alle drey sind Feind auff Agrippinens Hauß.

Wer Frembd' und Kläger hört / gönnt auch der Mutter Ohren.

NERO.

Durch langes Hören wird offt Hülff und Heil verlohren.

SENECA.

Man dring / eh als ein Mensch erwacht / ins Zimmer ein.

NERO.

Wo wir des Burrhus Treu[37] nur vor versichert seyn.

SENECA.

Wol! Hauptmann Burrhus soll schnur stracks den Käyser schauen.

NERO.

Wem ist / wenn die Natur selbst falsch wird / mehr zu trauen?

OTHO.

Die Flamme frist kein Hertz das scharffes Gifft befleckt /

Die Gunst-Glutt der Natur ist / wo die Ader steckt

Des Ehrsucht-Giffts eyß-kalt. Man brückt auff todten Knochen

Der Eltern / die die Faust der Kinder hat erstochen:

Den Irrweg auff den Thron; Der eignen Kinder Blutt

Wenn man auff Zepter zielt / schätzt man für Epp und Flutt.

Zwar man enthärtet Stahl / man kan die Tiger zähmen

Auff wilde Stämme Frucht / auff Klippen Weitze sämen /

Die Gifft in Artzney kehrn / das aber geht nicht an:

Daß man der Ehrsucht Gifft vom Hertzen sondern kan

Wo sie gewurtzelt ist. Sie wird unendlich wütten

Biß mit den Adern ihr die Wurtzel wird verschnitten.

BURRHUS.

Was heischt die Majestät / das zu vollbringen sey?

NERO.

Lebt Burrhus unverrückt Uns mit dem Läger treu?

BURRHUS.

Ich und das Läger wacht fürs Käysers Heil und Leben.

NERO.

Hat Agrippinen auch Niemand sein Wort gegeben?

BURRH.

Der Fürst ist unser Herr. Was schafft uns Agrippin?

NERO.

Weiß Niemand / was sie sucht für Meyneyd zu vollziehn?

BURRHUS.

Ein schweigend Wissen würd uns selbst in Meyneyd stürtzen.

NERO.

Sie trachtet Reich und Geist dem Sohne zu verkürtzen;

Der / weil sie sich zur Schlang aus einer Mutter macht /

Auch nicht mehr Sohn darff seyn. Wer sich nun aus Verdacht

Der Mit-Verräther wünscht / und uns wil Freund verbleiben /

Der sol nebst uns den Dolch ihr durch die Brüste treiben.

BURRHUS.

Der Käyser zäume sich. Ein lauer Geist bereut

Was Zorn und Hitze schloß. Was Er der Mutter dreut /

Kan / mit geringerm Haß / ein frembder Arm vollstrecken:

Auch schuldig Mutter-Blutt spritzt auff die Kinder Flecken.

Dafern sie schuldig ist / wil ich der erste seyn /

Der in ihr schwartzes Hertz den blancken Stahl stößt ein.

NERO.

Ich lobe deinen Schluß / mehr aber dein Vollbringen.

Nebst dir sol Seneca stracks in ihr Zimmer dringen /

Durchforschen / was verkerbt. Zeugt sich die Missethat /

So schafft durch diesen Dolch euch Ruhm / uns Ruh und Rath.

Der Schauplatz verändert sich in der Agrippinen Schlaffgemach.

Agrippina. Octavia.

AGRIPPINA.

Mein Kind Octavie kommt heut uns zu begrüssen?
Uns? Die wir gleichsam hier im Kercker leben müssen.
Und kömmt der Käyserin noch mein Gedächtnüs ein;
Da wir bey aller Welt mehr als vergessen seyn?
Kein Freund betritt die Schwell / und Niemand klopfft die Thüren;
Da unlängst ihren Staub und Schatten zu berühren
Rom höchstes Glücke pries. Itzt fleucht man unser Hauß
Gleich / als wenn für der Pest ein Zeichen hieng' heraus.
So spielt Gelück und Zeit / die steter Wechsel treibet.
Wo ein gestrandet Mast / der Sandbanck Zeugnüs bleibet /
Wil Niemand segeln an. Und sie / mein Kind / kommt hin /
Wo ich Gefällte selbst des Schiffbruchs Merckmal bin.

OCTAVIA.

Frau Mutter / ja ich komm / ob man gleich Schälsucht fasset
Auff den / der nicht verfolgt die / die der Käyser hasset;
Und ob man reine Gunst itzt gleich zu Lastern macht.
Ein unbesegelt Schiff nimmt keine Schnur in acht /
Es laufft / wie hier der Wind und dort der Strom es jaget.
Die iedes Wetter trifft / und alles Unglück plaget /
Schätzt Strudel / Klipp / und Schlund für ein nicht fremdes Meer /
Und Schiffbruch für den Port. Zwar treibt mich auch hieher
In dieses Einsam-seyn mein eigenes Vergnügen.

AGRIPPINA.

Verlangt mein liebstes Kind Vergnügung hier zu kriegen /
Wo tausendfach Verdruß das Leben uns vergällt /

Wo Angst den Sammel-Platz und Noth die Renn-Bahn hält?

OCTAVIA.

Frau Mutter / zwar es läßt sich leicht vernünfftig schliessen /
Wie Unmuth / Schmertz und Zorn ihr Hertze beissen müssen:
Daß eines Käysers Kind / Braut / Schwester / Mutter / Frau /[38]
Dem Falle sich vermählt / enterbt vom Purper schau.
Daß / die die Welt verehrt / der Rom ließ Weyrauch brennen /
Nach welcher Nahmen man ließ Städt und Ufer nennen /[39]
Daß / die der Deutschen Treu[40] hat als ihr Haupt bewacht /
Ja die den Käyser selbst zum Käyser hat gemacht /
Der Tiranney ein Spiel / dem Neid ein Ziel abgebe /
In dem Volck-reichen Rom / wie in der Wüsten lebe /
In eines Bürgers Haus /[41] verstossen vom Palast /
Von Wach und Dienern frey / verschmäht / entweyht / verhaßt /
Die Zeit und Leid verkürtz. Ach aber / diese Schmertzen
Sind gegen unser Angst / Spiel / Kurtzweil / Kitzel / Schertzen.
Man heilt den scharffen Schmertz durch stilles Einsam-seyn /
Diß schätzt ich meine Lust und Salbe meiner Pein;
Ich / die man ja darumb noch kan zu Hofe leiden /
Daß neue Martern mir stets frische Wunden schneiden /
Die ärger als derTodt. Des Brudern Gifft-Glaß faßt
Das Thränen-Saltz nicht mehr. Daß uns der Käyser haßt
Mit schälem Aug ansiht / mit Füssen von sich stösset;
Geht hin; Daß aber er offt frembden Speichel flößet
Auff unsern reinen Mund / wenn ander' ihn geküßt;
Daß er mit Knaben-Lust[42] den Eckel ihm versüßt /
Den unsre Keuschheit schafft / mit Männern sich vermählet
Und ein entmanntes Kind zu seiner Braut erwählet /
Daß er ihm Mägde legt[43] in unser Bette bey /
Frist einer Frauens Hertz / beist Marck und Bein entzwey.

AGRIPPINA.

Mein Kind / ja wenn diß Hauß uns könt ans Ufer leiten /
Wenn uns des Hofes Meer / der Häuchler Sturm bestreiten /
Ja könte dieses Dach ein Lorber-Schatten seyn /
Wenn Nerons Blitz und Grimm uns Asch und Hinfall dreun:
So möchtestu und ich hier ja Vergnügung finden.
Ach! aber / Glutt muß wol / wo Zunder weg kommt / schwinden /
Doch Fürsten-Eyfer brennt / man sondre gleich / was nehrt.
Ein Luchs siht durch ein Brett / ein zornig Auge fährt
Durch Mauer / Stein und Stahl. Wo Furcht und Ehrsucht blitzen /
Kan uns kein Unschulds-Schild / kein Abseins-Mantel schützen.
Was haben wir verkerbt / seit wir von Hofe sind?
Doch leider / wissen wir: Daß man uns Stricke spinnt;
Verläumbder auff uns hetzt / und Mord-Verräther stifftet.
Man hat zum dritten mahl die Reben uns vergifftet;[44]
In falschen Zimmern uns mit Fallen aufgestellt;
Bey Stadt / und Pöfel uns durch falschen Ruff vergällt:
Der Blut-Durst Nerons wird auch / glaub es / nicht geleschet /
Biß er die Mörder-Faust mit Mutter-Blutte wäschet.

Burrhus. Agrippina. Seneca. Octavia.
Etliche Freygelassene / und ein Theil der Käyserlichen Leibwache.

BURRHUS.

Was für Verrätherey hat Agrippine für?

AGRIPPINA.

Hilff Himmel! Wie? Warumb erbricht man unsre Thür?

BURRHUS.

Sie sag es / was sie hat auffs Käysers Halß gesponnen?

AGRIPPINA.

Wer? Wir? Von der mein Sohn den Purper hat gewonnen?

BURRHUS.

Sie macht umbsonst so frembd ihr ihre Missethat.

AGRIPPINA.

Sols der nicht frembde seyn / die nichts verbrochen hat?

BURRHUS.

Wir haben Macht mit Schärff ihr auff den Halß zu gehen.

AGRIPPINA.

Kommt! foltert! Agrippin hat nichts nicht zu gestehen.

BURRHUS.

Durch frey Bekäntnüs wird gemindert Straff und Schuld.

AGRIPPINA.

Die Unschuld leidet Gifft / Stahl / Flammen mit Geduld.

BURRHUS.

Die Unschuld? Die auff Sohn und Fürsten sich verbindet?

AGRIPPINA.

Daß Nero wider uns kein ebner Fallbrett findet!

BURRHUS.

Durch Hochmuth sanck sie ab / durch Meyneyd fällt sie gar.

AGRIPPINA.

Verdroß euch: Daß ich nicht den Knechten dienstbar war?

BURRHUS.

Dem Käyser / Rom und uns: Daß sie uns Sklaven schätzte.

AGRIPPINA.

Als ich dich in dein Ampt / den Sohn zum Zepter sätzte?

BURRHUS.

Wer sätzt / muß / den er sätzt auch ehrn mit Treu und Pflicht.

AGRIPPINA.

Ich machte mich zur Magd / und ihn zum Götzen nicht.

BURRHUS.

Der Zunge Brand entdeckt / was die Begierden kochen!

AGRIPPINA.

Wer / was umbs Hertz ist / sagt / hat niemals Treu gebrochen.

BURRHUS.

So sag sie / was ihr Hertz Verräthrisches verdeckt.

AGRIPPINA.

Sagt Kläger / was es sey / mit wem wir uns befleckt.

BURRHUS.

Hat sie dem Plautus nicht verlobet Eh und Krone?

AGRIPPINA.

Ihr Götter! Wird kein Blitz Verläumbdern nicht zu Lohne!
Dem Plautus? Wir? Den Thron? Die Eh? Brich Abgrund brich!
Brich! schlinge diesen Dampff der Lügen ein in dich!
Welch Mörder hat erdacht? Welch Teuffel kont ersinnen /
Uns ein solch Lebens-Netz / diß Ehren-Garn zu spinnen?
Sagt / denn wir wolln durchaus es wissen / wer es sey?
Der diß Verleumbdungs-Gifft dem Käyser brachte bey.

SENECA.

Silane / die den Schluß der Heyrath selbst gelesen.

AGRIPPINA.

Silan ist dieses Bruts Gebährerin gewesen?
Hilff Himmel! ich erstarrl Alleine sagt uns an:
Ob ein unfruchtbar Weib[45] vernünfftig urtheiln kan
Von Müttern? meint der Wurm: Daß ein recht Mutter-Hertze /
Wie ein unkeuscher Balg mit ihren Buhlern schertze?
Silane wechselt ja durch Ehbruch Hertz und Gunst
So offt ihr Hurenbett erkaltet von der Brunst /
Und auff was neues sinnt: In meinen Mutter-Brüsten
Läst mich kein Kalt-seyn nicht nach frembder Glutt gelüsten.

SENECA.

Calvisius / Itur bezeugens neben ihr.

AGRIPPINA.

Ists glaublich: Daß diß Paar solch Schelmstück nehme für?

Jedoch / was wunderts uns? Daß dieses Paar zu Liebe[46]

Der alten Bestien durch Meyneyd uns betrübe:

Diß ist ihr einig Danck für diß: Daß sie den Werth

Der Gütter / neben ihr höchstliederlich verzehrt.

Nun urtheilt / ob uns diß kan Kinder-Mord anbrennen /

Und unsers Sohnes Hertz von seiner Mutter trennen.

BURRHUS.

Die Schutz-red ist bißher was scheinbar zwar gestellt /

Doch / wo ihr Schild den Stich / ihr Schein nicht Farbe hält /

Beruht des Endspruchs Krafft auff dieser Faust und Degen.

AGRIPPINA.

Die Redligkeit läßt sich durch Dreuen nicht bewegen.

Ich lache: Daß man mir nach Ruhm und Leben strebt

Mit Stricken / die vielleicht die Spinne fester webt.

SENECA.

Sie hat nicht Lachens Zeit. Ihr Leugnen wird sie schlagen /

Wenn ihr Domitie wird unter Augen sagen /

Wenn Atimetus[47] wird eröffnen ihren Rath /

Den ihr vergällter Geist auff Rom beschlossen hat.

AGRIPPINA.

Die Warheit führt uns auch aus dieses Irrgangs Schrancken.

Ich wil Domitien für ihre Feindschafft dancken:

Da sie an Redligkeit uns abgewinnen wil.

Wir wolln verdammet seyn / da sie nur halb so viel

Dem Käyser gönnt als wir: Wir wolln das Mord-beil küssen /

Da wir durch unsern Todt den Sohn vergrössert wissen.

Ach! aber / er sihts nicht / und unsre Seele kränckt:

Daß sie durch unsern Fall auch ihn zu stürtzen dänckt.

BURRHUS.

Sie stürtzte ja sich selbst durch eigenes Geblütte.

AGRIPPINA.

Die Schälsucht gegen uns[48] verbittert ihr Gemütte.
Glaubt sicher: Daß der Safft der Liebe leicht verseigt /
Wo das Geblütte schon in Seiten-Stämme steigt.
Hingegen / ach! Wie kan der Wurtzel Krafft entgehen /
Wenn die geraden Zweig in frischer Blüthe stehen?
Es richte / wer versteht / was Mutter-Liebe kan /
Ja den der süße Ruff des Vaters nur geht an /
Ob sich nicht Hitz und Glutt bequemer scheiden lassen;
Als eine Mutter sol ihr Eingeweide hassen
Und auff ihr einigs Kind mit Meyneyd schwanger gehn.

SENECA.

Der rechte Stamm verdorrt wo frembde Räuber stehn.
So muß die Mutter-Hold auch eignen Kindern fehlen /
Die Ehrsucht an sich zeucht und neue Buhler stehlen.

AGRIPPINA.

Nun die Natur uns nicht zu schützen Kräffte hat;
So überlegt mein Werck und urtheilt diser That /
Die itzt an Treue dänckt / die Mutter abzustechen.
Gar recht! mit solcher Art muß man den Grund abbrechen
Der Hauß und Pfeiler stützt: Man reißt die Wurtzeln loß /
Wenn ein verhaßter Baum nicht wachsen sol zu groß.
Diß ist das Trauerspiel / das schon mit mir beginnet /
Auff das Domitie nebst Atimeten sinnet /
Wenn er ihr Geil-seyn lescht. Sie bracht in süsser Ruh
Die stille Nacht / den Tag in warmen Bädern zu /
Ging ihrer Wollust nach / in Bajens Lust-Gebäuen;
Stellt auff Lampreten auff in Cumens Fischereyen;
Als uns des Nachts kein Schlaff / den Tag kein Durst ankam;

Biß Claudius mein Kind auch selbst zum Sohn annahm;

Als uns kein Purpur nicht des Käyserthumbs anlachte /

Biß man zum Land-Vogt ihn / zum Bürgermeister machte;

Ja! Als uns Würd und Thron nichts als Verdruß gebahr /

Biß Nero Herr der Welt / selbst Fürst / selbst Käyser war.

BURRHUS.

Der letzten Unthat Rauch dämpfft erste Wolthats-Flammen.

AGRIPPINA.

Die einmal lichte Glutt zeucht keinen Rauch zusammen /

Was hetten wir für Frucht / so bald zerstört zu schaun /

Was so viel Zeit und Schweis kaum mächtig war zu baun?

Zu dem / was wißt ihr denn für Meyneyds-Mitgesellen?

Weil zwey paar Armen wol gantz Rom nicht werden fällen /

Sagt / hat man Rath und Stadt auff unser Seite bracht?

Hat man das Heer erkaufft das umb den Käyser wacht?

Erweiset; Wenn man ließ verdächtig Gifft abkochen /

Ob wegen Meuchelmords wo sey ein Knecht bestochen?

Ob man der Länder Treu zu Auffruhr hat verhetzt?

Wo diß erweißlich ist: so werd ich nicht geschätzt

Als Mutter / nicht als Mensch: so braucht Glutt / Creutze / Klingen /

So laßt durchs Adern-quäll uns glüend Eisen dringen.

BURRHUS.

Ihr Vorsatz kam vielleicht zu zeitlich an das Licht.

AGRIPPINA.

Der Rauch entdeckt die Glut; Die Boßheit bergt sich nicht.

Ja wenn Britannicus mein ander Sohn noch lebte /

Dem man zur Krone Gold / zum Purpur Seide webte /

So könte meiner That sein Erb-recht noch mein Schein;

Sein Zepter noch mein Schild; Sein Reich mein Leben seyn:

Wenn aber Plautus solt an Römschen Gipffel steigen

Und sich Augustus Stamm für frembden Häuptern neigen;

Wormit würd Agrippin ihr Heil verbessert sehn?

Denn / dörffte nicht der Neid aus Worten Polßken drehn /

Aus Worten / die man itzt zu Donnerkeilen machet /

Die doch nur Ungedult und Libe veruhrsachet:

Wir würden ohne Schild für tausend Klägern stehn /

Die uns durch leichten Weg ans Hertze würden gehn /

Auff unsern Hals verführn solch schreckliches Verbrechen /

Darvon uns kan kein Mensch / als nur der Sohn loß sprechen.

BURRHUS.

Was urtheilt Seneca? ich finde nichts an Ihr

Verdachts und straffens werth.

SENECA.

Ich halt es auch mit dir.

AGRIPPINA.

Wie steht / und schweigt ihr nun? Sagt: Was wir mißgehandelt?

Hat euch mein Unschuld-schild itzt gar in Stein verwandelt?

Seht nicht für Schlangen-Blitz die Tauben-Augen an

Der Mutter / die beseeln / nicht aber tödten kan.

Sagt: mit was Vorwand ihr nun meinen Sohn verhetzet:

Daß er itzt als ein Löw an uns die Klauen sätzet?

SENECA.

Hält sie die Farbe nur / bricht Nero Lib und Blutt

Noch weniger / als Sie.

AGRIPPINA.

Der kräfftgen Wässer Fluth

Verliehret außerm Kwäll und Brunnen Krafft und Stärcke.

Ein sich absondernd Sohn übt oft nicht Kindes-Wercke.

Ein Brunn ein Mutter-Hertz wird aber nicht vergällt /

Wenn gleich die süße Bach in saltzicht Wasser fällt /

Ein Kind die sanffte Gunst in heissen Grimm verkehret.

BURRHUS.

Die wahre Tugend wird durch den Bestand bewehret.
Wir wollen / was sie itzt vorschützend wendet ein /
Dem Käyser tragen für; Er selbst mag Richter seyn.

AGRIPPINA.

Wir wolln; Daß Nero selbst mög unser Antwort hören /
Den unsre Unschuld wird die Ertzt-Verläumbdung lehren /
Und seiner Rache Glutt ziehn auf die Mörder-schaar
Die Uns.

SENECA.

Gleich recht; sie red. Itzt ist der Käyser dar.

Agrippina. Nero. Burrhus. Seneca.
Die Freygelassenen. Die Trabanten.

AGRIPPINA.

So sucht man deinem Ruhm ein Brandmahl anzubrennen?
Durch unsern Todt? mein Fürst. Denn / dich mein Kind zu nennen /
Verdächtigte mein Recht. Weil man bey Lastern Gnad
Aus holden Titeln sucht. So spielt der Zeiten Rad!
Ich / die ich Mutter bin / muß diesen Nahmen fliehen /
Vermummten Schlangen nur die Larven abzuziehen /
Die mehr als Mutter wolln bei dir gesehen seyn /
Wenn sie solch ein Gesicht mir Mutter drucken ein /
Das Drach und Wolff nicht hat; Wenn sie wolln unsrem Hertzen
Den Meyneyd tichten an / ja Uns mit Laster schwärtzen
Für den den Unthiern graust. Ich heisse dich nicht Kind /
Weil schärfste Richter auch der Unschuld linde sind.
Halt mich für Mutter nicht; Weil ich in dieser Sache
Mir kiese strenges Recht. Des Käysers Donnern krache
Mit Schwefel ernsten Grimms und schütte Straffen aus

Auf die verdammte Schaar / die Agrippinens Hauß /
Den Himmel deines Throns / sich zu bestürmen wagen;
Und auf der Lügen Grund Verläumbdungs-Berge tragen
Zu stürtzen dich durch mich. Ich heische Rach auff sie /
Ich / die ich mich umb Schutz der Unschuld nicht bemüh;
Ich / die der Nahme nur der Mutter frey kan sprechen.
Die minste meiner That kan ihr Geschoos zerbrechen /
Das Falschheit auf mich schärfft. Es straffe Rach und Schwerdt;
Es tilge Blitz und Glutt. Der Boßheit wird verwehrt:
Daß nicht die Schlang ihr Gifft in neue Köpff außsprenget
Wenn / was die Räch abhaut / der Klugheit Glutt versänget.
Es fahre Straff und Blitz auf die / die deinen Ruhm
Mehr tödten / als mein Heil. Kan sich der Tugend Blum
Und deines Herschens Preiß so schändlich bilden lassen?
Daß auch die Mutter müß ihr eignes Abbild hassen?
Diß heist die Majestät an dir zu hoch verletzt.
Diß heischet Flamm und Pfal. Mein Schimpff bleib ungeschätzt /
Darmit diß Läster-Volck schwärtzt meiner Unschuld Lilgen.
Weil doch ihr eytricht Blutt nicht kan die Flecken tilgen
Darmit es uns verstellt: Jedoch / was ficht uns an?
Weil ja Verläumbdung nicht die Tugend schimpffen kan.
Wer unsre Mutter-Milch der Liebe wil vergällen
Der weise: Daß von ihm was süßers könne kwällen /
Als aus der Mutter Brust? Was schafft Silane guts?
Stehn neue Zepter feil; mag meine Hand-voll Bluts
Das Kauffgeld gerne seyn. Kan sie dich höher heben /
Mag man Domitien den Mutter-Nahmen geben /
Und urtheiln: Agrippin ist keines Sohnes werth /
Weil sie nicht alles gab. Wie unbedachtsam fährt
Aus Eyfer aber uns die Gutthat von der Zungen?
Hat ihre Thorheit uns den Fehler abgezwungen /

Und statt des Lachens / Zorn? Indem nicht glaublich scheint:
Daß / die ihr Kind bringt umb / wen Frembdes redlich meint.
So kan der Warheit Strahl der Lügen Rauch zertreiben.
So wolle nun mein Fürst den Mördern Gifft verschreiben /
Das sie auff uns gekocht; So werd ihr zischend Blutt
Ein Opffer unser Rach / ein Gauckelspiel der Glutt /
Ein Spiegel ernster Straff. Es mag der Zorn-Sturm krachen
Auff diese / die dich wolln zum Mutter-Mörder machen /
Die eine Mutter dir wolln rauben; Weil sie dich
So sehr / so hertzlich libt! Was aber müh ich mich
Umb Straffen? Seh ich doch das Wasser meiner Zehren
In Wolcken sich zerziehn / die Blitz und Keil gebehren
Auf der Verräther Kopff. Schaut: Nero theilet schon
Der Laster Marter aus / der Tugend reichen Lohn.

NERO.

Frau Mutter / zwar es fehlt uns nicht an Argwohns-Gründen
Der Ehrgeitz läßt sich auch nicht durch Gesetze binden /
Die die Natur gleich schreibt. Die Hochmuths-Spinne webt
Ihr Garn / an dem sie sich empor an Gipffel hebt
Aus eignem Eingeweid. Hat man mit Kinder-Blutte
Schlecht Unheil außgelescht; mit was für heißerm Mutte
Eröffnet man ihr Kwäll der Adern / wenn sein Schaum
Uns neue Purper färbt? Der Kronsucht süßer Traum
Stellt Eltern Kinder für als Gifft-erfüllte Schlangen /
Vergällt als Drach und Molch den / der offt nichts begangen /
Weil auch aus Wind und Lufft der Schälsucht gifftig Zahn
Ihr eine Speise macht; Jedoch wir wolln die Bahn
Der reinen Sanfftmuth gehn / und diese Hoffnung fassen:
Die Mutter werde sich nicht Ehrsucht blenden lassen /
Uns mit nicht falscher Hold und Liebe pflichten bey.
Daß sie auch unsrer Gunst genung versichert sey /

Sol ihrer Freunde Treu itzt unsre Gnad erfahren.

Das Kornhaus der Stadt Rom sol Foenius verwahren /[49]

Balbillus von Stund an Egyptens Land-Vogt seyn /

Antejus Syriens. Dem Stella räumet ein

Den Schauplatz / und nebst dem die Auffsicht unsrer Spiele.

Daß die Verläumbdung auch der Warheit Strahlen fühle /

So sol Silan' entfernt das Elend lernen baun /

Calvisius / Itur Rom nimmermehr mehr schaun /

Des Atimetus Hals sein Mißbeginnen büssen.

AGRIPPINA.

Die Mutter saget Danck dem Fürstlichen Entschlüssen.

Reyen.

Der Gerechtigkeit; Der Tugenden; Der Laster; Der Rache; Der Belohnung.

1. DIE LASTER.

Ihr blindes Volck! Wie seyd ihr so bethöret?

Wie / daß ihr der Gerechtigkeit

Verkapptes Bild / den blinden Götzen ehret?

Und das Altar beliebter Lust entweyht?

Die Götter / die nicht treuen Dienst belohnen /

Sind Weyrauchs nicht / nicht süsser Opffer werth.

Ist euer Danck / sind eures Kampffes Kronen

Nicht Unlust / Haß / Verachtung / Strang und Schwerdt?

Die Palmen aber unsrer Siegung

Sind Ehre / Reichthumb / Lust / Vergnügung.

1. DIE TUGENDEN.

Ihr thörchtes Volck / die ihr der Tugend Licht
Die Sonne der Vernunft nicht einmal könnt erblicken /
Weil der Begierden Dünst euch zaubernde bestricken /
Wir sehnen uns nach euren Aepffeln nicht /
Die außen Gold / innwendig Asche sind.
Ihr lästert unsern Glantz; Alleine könnt ihr Raben
Uns Sonnen anzuschaun wol Adlers-Augen haben?
Geht / speißt euch nur mit Aeßern / Rauch und Wind.
Wir können Wollust-Gifft leicht mißen /
Weil wir der Seele Milch genüßen.

2. DIE LASTER.

Welch Nectar kan die Seele mehr erkwicken /
Als Zucker süßer Libes-Brunst?
Des Himmels Glantz / den tausend Sternen schmücken /
Ist gegen Ehr und Purper neblicht Dunst.
Kein Honig-thau erfrischt so durstge Saaten;
Als Rachgier sich mit Feindes Blutt kühlt ab.
Ihr Armen müßt am Unglücks-feuer braten /
Biß unser Witz euch bringt beschimpft ins Grab.
Wie / daß euch denn für Zucker Gallen /
Für Rosen Neßeln so gefallen?

2. DIE TUGENDEN.

Weichlinge brennt der Keuschheit Neßel zwar;
Doch sie erhält die Lilg und Brust für Fäul und Flecken.
Der Scharlach saugt mehr Blut der Menschen / als der Schnecken;
Der Demuth Kleid bleibt Schwanen-rein und klar.
Die Rachgier ist ihr eigen Seelen-Wurm.
Die Sanfftmuth aber kühlt mit Unschuld ihr Gewissen.
Die Boßheit hat ihr Gifft ja was bezuckern müssen;
Die stillste Lufft bergt Schiffbruch / Wind und Sturm.

Zwar Tugend schmeckt den Lippen bitter /

Doch labt ihr Nectar die Gemütter.

1. DIE GERECHTIGKEIT.

Ja libsten Kinder / last euch nicht der Wollust Zirzen

Versätzen in der wilden Thiere Zunfft.

Last der Sirenen Lied euch nicht in Abgrund stürtzen;

Verstopfft das Ohr mit Wachse der Vernunft.

Scheint ihr gleich itzt zu leiden / sie zu siegen;

Ihr solt doch Lohn; sie aber Straffe krigen.

3. DIE LASTER.

Sol / die für uns in Himmel sich geflüchtet /

Auch dort nicht hoch am Brette sitzt /

Weil Jupiter nach uns die Segel richtet /

Ohnmächtig dreun? Daß sie strafft / lohnt und schützt /

Sind ihrer viel durch dich zum Zepter kommen?

Bekröntestu das itzge Haupt der Welt?

Hat Agrippin itzt Meyneyd fürgenommen?

Weil nun dein Arm der Unschuld Schutz nicht hält /

Was ist dein Schwerdt denn ohne Spitze?

Die Wage sonder Zunge nütze.

3. DIE TUGENDEN.

Ach Göttin / daß dein Eyfer nicht bald bricht!

Denn / hat die Boßheit gleich den Hencker im Gewissen /

Kan Tugend auch gleich Lust im Tod und Kwal genüßen

So füllt es doch der Blinden Augen nicht.

Ist Tugend gleich ihr' eigne Frucht und Werth;

So gönn uns doch nur auch der Ehren Zierath-Blätter /

Schick auf die Hellen-Zucht einmal ein Unglücks-Wetter

So wird das Werck sie lehren: Daß dein Schwerdt

Ja schneiden könn / und dein Gewichte

Nach Würden abwigt Straff- und Früchte.

2. DIE GERECHTIGKEIT.

Brich Hell und Himmel auf! ihr Werckzeug meiner Wercke /
Rach und Belohnung kommt / nehmt euch mein an.
Eröfnet aller Welt der großen Göttin Stärcke:
Daß sie Gestirn und Abgrund öffnen kan.
Ihr müßt mit Blitz auff Sünd und Laster regnen /
Die Tugenden mit Ehren-Kräntzen segnen.

DIE RACHE.

Die Erde bricht / daraus die Rache steiget
Gewaffnet aus mit Giffte / Schwerdt und Glutt.
Der Blitz versehrt die Wolcke die ihn zeuget /
Der Abgrund selbst frist seinen Schlangen-brutt.
Der Ehrsucht Glutt solln grimme Flammen speisen /
Der Wollust Gifft durch tödlich Gifft vergehn /
Die Rachgier fällt durch ihr geschliffen Eysen.
Nun werdet ihr / ihr Laster / ja gestehn:
Daß endlich sattsam reiffe Sünden
Im Leben Pein / im Grabe Schimpff empfinden.

DIE BELOHNUNG.

Des Himmels Gunst / der reine Seelen liebt /
Und wahre Tugenden mit holdem Aug anblicket /
Hat euch durch mich den Lohn / den ihr verdient / geschicket.
Empfangt den Krantz / die Palmen / die er gibt
Kommt / die ihr euch mit Lastern nie befleckt /
Der Warheit Sonnenschein tilgt die Verläumbdungs-Dünste /
Der Unschuld Zirckel hemmt der Boßheit Zauberkünste.
Denn: Daß ihr ja der Tugend Nectar schmeckt /
Eh als ihr solt verfinstert leben /
Muß ein Tyrann ans Licht euch heben.

Die andre Abhandlung.

Der Schauplatz stellet für des Käysers geheimes Zimmer.

Nero. Poppæa.

NERO.

Nun gehet Rom und Uns der Libes-Früling an /
Der Wollust-Morgen auf / nun man dich / Sonne / kan
In diesen Zirckeln schaun. Wir haben süsse Wunden
Von ihren Strahlen zwar abwesend schon empfunden;
Denn Sonn und Schönheit würckt auch / wenn man sie nicht siht;
Unsichtbahrn Göttern ist zu opffern man bemüht.
Itzt aber brennen wir / nun der Begierden-Zunder /
Den Uns ihr Lob gebahr / durch ihrer Blitze Wunder
Vollkömlich Flamme fängt. Hemmt nun sie / Schönste / nicht
Die Zügel unsrer Brunst / und steigt ihr güldnes Licht
An Mittag süsser Hold / muß Nero Asche werden
Durch heissen Sonnenschein der blitzenden Gebehrden.
Jedoch / wer wil nicht seyn von Sonn und Glutt verzehrt /
Die ihres Brandes Asch in junge Fenix kehrt?
Wird unser Hertze gleich die Schönheits-Glutt verbrennen
Poppeens / die man muß der Römer Sonne nennen /
Wird doch ihr Anmuths-Strahl mit Zucker-süsser Lust /
Mit Balsam reiner Gunst beseelen unsre Brust.
Wir sind in sie verliebt / wir küssen ihr die Hände /
Sie ist mein Sonnen-Rad / ich bin die Sonnen-Wende /
Sie ist mein Nordenstern / ich aber ihr Magnet.
Du Ab-Gott unser Zeit / mein glüend Hertze steht
Zum Weyrauch angesteckt; Ich wil mein treues Leben

Auff deiner Brust Altar dir hin zum Opffer geben.
Nun / so eröffn uns auch dein Himmlisch Heyligthum
Der Seele / deine Brust. Der Sonne gröster Ruhm
Ist; Daß sie allen scheint. Der Götter Tempel stehen
Dem offen / der sie ehrt. Poppee wird erhöhen
Sich über Rom und Uns / wenn sie den Käyser libt /
Der Lust den Zügel läßt und uns Vergnügung gibt.

POPPÆA.

Mein Fürst / mein Herr / mein Haupt / ich schätze für Gebrechen
Weil allzu grosse Gunst muß irrig Urtheil sprechen /
Was er als Schönheit preist. Wer schätzt die Dünste schön /
Eh als ihr neblicht Nichts man sieht am Himmel stehn /
Und sie die Purper-Sonn in Regenbogen kehret?
Mein Schatten der Gestalt wird durch den Glantz verkläret
Der höchsten Majestät. Daß nun der Fürst diß Gold
Schätzt werther / als es werth / rühm ich als höchste Hold /
Und küß ihm Hand und Füß. Auch soll zu Dienst ihm leben
Mein Geist / und mein gantz Ich / wie weit uns zugegeben
Hat Tugend und Vernunfft.

NERO.

Die geben alles zu
Da / wo ein Fürst was heischt. Man thue was man thu /
Der Purper hüllt es ein. Mein Kind / der Kreis der Zeiten
Pflegt aus dem Lentz uns ja auch in den Herbst zu leiten /
Der Baum trägt endlich Frucht / der erstlich hat geblüht;
Wie daß denn sie / mein Schatz / uns Herbst und Frucht entzicht /
Da wir doch längst von ihr der Libe Blüth empfangen.

POPPÆA.

Das Küssen auff den Mund / das Spielen auff den Wangen
Die Kurtzweil auff der Brust sind Blumen / die ein Weib
Noch brechen lassen kan. Alleine Schooß und Leib

Sol frembder Sichel nicht die Saat und Erndte gönnen.

Die ersten Rosen wird der Käyser samlen können

So weit ichs vor gab nach. Hier lächst der durstge Mund!

Hier schwillt die nackte Brust!

NERO.

Welch Geist wird hier nicht wund?

Welch Mensch wil Schiffbruch nicht auff diesen Klippen leiden?

Welch Auge wil nicht hier auff diesen Nelcken weiden?

Die Seelen küssen selbst auff den Rubinen sich!

POPPÆA.

Mein Fürst / zu viel! zu viel!

NERO.

Mein Schatz / sie sätzt an mich

Mit grimmer Sparsamkeit. Dem / der schon einst gesogen

Der Wollust Mandel-Milch / wird ja zu früh entzogen

Die ungeleerte Brust. Wer allzu sparsam libt

Reitzt nur / ersättigt nicht.

POPPÆA.

Muscat und Zimmet gibt /

Wil man mit Glutt den Geist durch theure Kolben treiben /

Nur Tropffen-weiß ihr Oel. Wil Schönheit schätzbar bleiben /

Nicht schlechtes Wasser seyn / muß sie ihr Nectar nicht

Mit vollem Strom außtheiln.

NERO.

Es wird der Sternen Licht

Nicht unwerth / ob es schon mit tausend Augen leuchtet /

Der Monde / der gleich oft das Feld mit Thaue feuchtet

Behält sein Silber-Horn. Poppee bleibet reich /

Schön / reitzend / und geschätzt / theilt sie den Zucker gleich

Mir ungemäßen aus. Der Lippe seichtes Liben

Wird nach Ersättigung durch Eckel nur vertriben.

Mein Liben aber ist gewurtzelt in der Brust
Die jedes Glied betheilt mit angenehmer Lust /
Und vielen Safft bedarf. Wirstu dein Kwäll uns schlüßen /
Wird meiner Seelen Pflantz alsbald verwelcken müssen.
Schatz / ach so flöß uns doch den kräfftgen Balsam ein!
Wie? oder zweifelstu? Daß deine Strahlen seyn
Die Fackel unser Brunst? Des Mörders Zutritt frischet
Entleibter Wunden auf / die gleich sind abgewischet.
Nicht anders wallt mein Hertz und treibt das Blutt empor
In deiner Gegenwart. Mein Wundenmahl bricht vor
An Stirne / Mund und Brust.

POPPÆA.

Die Wunden / die die Liebe
Verursacht / rinnen oft auch von entferntem Triebe.
Die Schälsucht / ich gestehs / versäugt den Wollust-thau.
Man küßt mit wenig Lust / die Lippen die noch lau
Von frembden Küssen sind. Ich schwere bey der Seele
Des Käysers:[50] Daß ich brenn und meines Hertzens Höle
Ein heilger Tempel sey / in dem des Käysers Bild
Mein Abgott / meine Seel und was in Adern kwillt /
Sein brennend Opffer ist. Die Andacht aber schwindet /
Wenn Nero einer Magd[51] selbst Libes-Oel anzündet /
Den Ambra seiner Brunst auff Actens Schooß und Brust /
Die Knechten offen stand / entweyht mit schnöder Lust.
Der Fürst urtheile selbst; Ich bin so wol vermählet
Dem Otho / dem an Muth / an Pracht das minste fehlet /
Die Wollust kräntzt mein Bett / und Glücke füllt mein Hauß
Diß alles schlag ich ja muthwillig von mir auß /
Verschütte Glück und Eh / erwerbe Schimpf und Haßen.
Denn Otho mich nicht mehr wird zwey drey Nächte laßen
In frembden Armen ruhn. Und ich erlange kaum

(Nachdem die Magd zuvor den Kern genaß) den Schaum
Von seiner Anmuths-Milch. Mein Fürst / auch edle Steine
Verlieren Werth und Preiß / macht man sie zu gemeine.
Im Koth vertirbt die Perl / ein Spiegel wird verterbt
Durch ein beflecktes Aug / ein Türckis wird entfärbt
In ein nicht-reiner Hand.

NERO.

Der Eifer ist ein Zeichen
Nicht ungefälschter Gunst: Wind / Schatten muß ihm weichen
Wenn der Verdacht ihr nichts für Nebenbuhler hält.
Mein Engel / gläube doch: Daß keine Magd gefällt
Dem / der Poppeen libt: (Wo Königlich Geblütte[52]
Auch eine Magd sol seyn.) Des Käysers gantz Gemütte
Zielt nur / mein Zweck / auff dich. Du hast ja das Geschooß
Der Liebes-Mutter selbst fürlängst gegürtet loß /
Umb durch den Pfritsch- und Pfeil dein Antlitz außzurüsten.
Solt Acten denn mit dir zu kämpffen wol gelüsten?
Sorgst aber du / mein Licht: ich läschte frembde Brunst /
Es were dir zu kalt die schon zertheilte Gunst;
So laße doch mein Werck dir meine Kräfte zeigen.
Das Opffer meiner Hold wird wie die Flamm aufsteigen /
Wo du diß Bette wirst zum Tempel widmen ein /
Die Brüste zum Altar. Du selbst magst Göttin seyn
Und Liebes-Pristerin.

POPPÆA.

Wenn ich das Ansehn hette
Der Gottheit / würd er nicht auf ungeweihtem Bette
Verlangen Lieb und Lust. Was hält den Käyser an /
Daß er Poppeens Seel ihm nicht vermählen kan?
Mißfällt ihm die Gestalt?[53] ihr redliches Gemütte?
Und daß sie fruchtbar ist? Ist irgens ihr Geblütte

Nicht edel? Da ihr Haus mit so viel Ahnen gläntzt /
Die Rom in Ertzt geprägt / mit Lorbern hat bekräntzt.
Was hindert ihn / mein Fürst / den Abschied der zu geben /
Die ihn nur haßt / und die ins Ehbett aufzuheben /
Die ihn so hertzlich libt? Es bricht der Thränen-Thau
Für Wehmuth bey mir aus / wenn ich den Käyser schau /
Und wie er als ein Kind sich läßt die Mutter leiten.
Ich schwere: Daß sie mir hat lassen Gifft bereiten.[54]
Doch klag ich dieses nicht / nur: Daß sie Reich und Macht
Dem Käyser aus der Hand zu winden ist bedacht /
Ja ihm Gesätze schreibt. Der Käyser muß mich lassen /
Weil Agrippine wil. Da nun nur giftigs Hassen
Und ein vergälltes Weib ihm sol vermählet seyn /
Was schleust der Käyser denn mich fruchtloß bey ihm ein.
Er lasse mich doch nur des Otho Ehweib bleiben /
Ich kan mit ihm die Zeit mit mehrer Lust vertreiben /
Entfernt von Rom und ihm / da ich des Käysers Schmach /
Wie er so gar zu viel den Weibern gebe nach /
Zwar hörn / nicht sehen muß.

NERO.

Ich muß mein Kaltseyn schelten /
Und mein hell-lodernd Hertz muß durch viel Pein entgelten
Der langsamen Geduld / indem ein bloßer Kuß /
Der Vorschmack wahrer Lust / mich nur vergnügen muß.
Jedoch ich bin vergnügt / wenn ich den Blitz der Augen /
Die Flammen / die ich muß aus den Korallen saugen
Der Lippen / für dißmal im Schnee-Gebirge mag
Der Brüste kühlen ab. Ich wil noch diesen Tag
Zu beyder Heil und Lust den festen Grund-stein legen.
Wir sehn / je sanfter wir der giftgen Natter pflegen /
Je schärffer sticht sie uns. Man schätzet für Gewien

Die Wurtzeln / die den Safft den Stämmen selbst entziehn /
Die Mutter die ihr Kind selbst tödtet / zu vertilgen.
Wir rotten Disteln aus und pflantzen edle Lilgen /
Wenn für Octavien Poppee wird erwehlt.
Poppee / welcher nur noch Eh und Zepter fehlt.
Ich wiedme beides dir. Indessen wolln wir sinnen
Des Otho scheles Aug ersprüßlich zu gewinnen.
Sie sag ihm: Daß er uns noch heute sehen muß.
Jedoch gesegne sie uns noch durch einen Kuß.

Nero. Paris.

NERO.

Es ist ja Seelen-Lust die Mund-Korallen küssen!
Doch ach! Daß umb die Frucht gesaltzne Wellen flüssen /
Die nur zu mehrerm Durst die Küssenden reitzt an!
Schaut! Wie sie Zauberin Uns nicht verstricken kan!
Sie läßt die Blüth uns nur der güldnen Aepffel schmecken /
Umb unsrer Seele nur mehr Hunger zu erwecken.
Der Liebe süsses Meer ist eine Wunder-flutt /
In der der seichte Schaum der Lippen nur die Glutt
Der Liebes-Brunst steckt an. Wo schon die Flamme spielet /
Wird die Begierde nur in tieffer Schooß gekühlet.
O Sonne meiner Seel! ach! daß dein holder Schein
So brennet / und doch nur wil langsam fruchtbar seyn?
Wo reiffe Wollust-Frucht gleich späten Datteln gleichet;
Hab ich doch längst den Herbst der hundert Jahr erreichet
Im Wachsthum meiner Gunst / weil Lieben eine Nacht /
Ja einen Augenblick zu einem Jahre macht.

PARIS.

Mein Fürst / er selbst ist Schuld. Wenn man wil Früchte zeigen /

Wird wilder Stämme Raub getilgt an edlen Zweigen;

Der Käyser libt und reitzt Poppeen ohne Frucht /

Weil Agrippinens Haß / des Ehmanns Eifer-sucht /

Octaviens Verdruß ihr Eh und Thron entzihen

Als Wurtzeln / ohne die ihr Liben nicht wird blühen.

Poppee brennt so sehr als er; Sie stellt sich kalt

Wol wissend: Daß so lang alleine die Gestalt

Der Schönen / sey ein Port / biß nach erlangtem Bitten

Verlibter letzter Lust den Schiffbruch hat erlitten.

Wenn beist ein schlauer Fisch an leeren Angeln an?

Wo man sie fangen wil / so gibt man was man kan.

NERO.

Wie kan man aber Eh und Thron ihr füglich geben /

Ja sie aus frembdem Bett in unsre Schoß erheben?

PARIS.

Ist diß wol fragens werth? Was hat für Fug und Recht

Der nicht / der Zepter trägt? Welch Recht wird auch geschwächt /

Wenn er Octavien / weil sie unfruchtbar / trennet /[55]

Und die nimmt / die man schon als fruchtbar[56] hat erkennet?

NERO.

Wie / wenn sich Agrippin Octaviens nimmt an?

PARIS.

Man breche mit Gewalt / was sich nicht beugen kan.

Sie sage: Was der Fürst hier seltzames begehe.

August nam Livien noch schwanger ihm zur Ehe.[57]

Ja Otho selbst entzog Poppeen dem Crispin.[58]

NERO.

Für was wird Otho diß ihm anzihn?

PARIS.

Für Gewien:

Daß eine Käyserin aus seinem Bette steige.

NERO.

Ein Baum verliert den Preiß der fortgepfropfften Zweige.

PARIS.

Der Nero hielts für Ruhm /[59] als er mit höchster Lust

Als Vater / nicht als Mann verlobte dem August

Sein Ehweib Livien. Ein Freund-stück zu bezeugen

Gab Cato dem Hortens die Martie[60] zu eigen.

Ja / was wil Otho sonst / wenn er so oft die Frau

Lobt und nach Hofe schickt? als: Daß sie Nero schau

Und Libes-Zunder fang? Indem er wol verstehet;

Daß auch durch bloßen Blick der Keuschheit Schnee zergehet.

Denn ein bestrahltes Aug ist Mutter der Begier.

Ein Weib und Pferd steht feil / wenn man sie reitet für.

Gesätzt auch: Otho weiß kein Auge zuzudrücken /

Kan man ihn unterm Schein der Ehre nicht verschicken?[61]

Man kauff ihm ab sein Weib umb eine Land-Vogtey.

NERO.

Ja recht! ein kluger Rath! Was ist für eine frey?

PARIS.

Durchlauchtster / Portugal.

NERO.

Wol! wir wollns ihm vertrauen.

Man sag ihm: Otho sol schnur-stracks den Käyser schauen.

Der Schauplatz verändert sich in einen Spatzier-Saal.

Agrippina. Octavia. Burrhus. Seneca.

AGRIPPINA.

Ists möglich: Daß Uns schon ein grimmer Wetter trifft?

OCTAVIA.

Ja / was der Sturm nicht schafft / vollbringt Sirenen-Gifft.

AGRIPPINA.

Wagt sich Poppee denn schon in des Käysers Bette?

OCTAVIA.

Gantz sicher / unverdeckt. Sie ist die Höchst am Brette.

AGRIPPINA.

Diß ist der Weg zur Eh / und Staffel auf den Thron.

OCTAVIA.

Ach ja! ich sehe mich im Schimpff und Tode schon.

AGRIPPINA.

Die Natter wird auch uns nicht ungestochen lassen.

OCTAVIA.

Ach! Daß ich unbeschimpfft nur könte bald erblassen!

AGRIPPINA.

Mein Kind / der Nachen hilft oft / wenn das Schiff gleich bricht.

OCTAVIA.

Wo keine Nachen sind / entkömmt der Klügste nicht.

AGRIPPINA.

Vermochte Burrhus nicht den Schiffbruch abzuwenden?

OCTAVIA.

Er und der Seneca hats Käysers Hertz in Händen.

AGRIPPINA.

Durch sie muß man der Brunst Poppeens beugen für.

OCTAVIA.

Wofern es nicht zu spät: Ich warte beider hier.

AGRIPPINA.

Durch sie kan man die Schlang in ihrer Wige dämpffen.

OCTAVIA.

Wo sie so keck nur sind Poppeen zu bekämpffen.

AGRIPPINA.

Wie? ist sie mehr als wir? sie fertigten uns an.

OCTAVIA.

Hier / nun ein Hurenbalg mehr als die Mutter kan.

AGRIPPINA.

So weiß ich: Daß hierzu die Tugend sie verbinde.

OCTAVIA.

Wer hengt bey Hofe nicht den Mantel nach dem Winde?

BURRHUS.

Was hat die Käyserin uns beyden zu befehln?

OCTAVIA.

Diß: Daß ihr Artzney mögt für ärgstes Gifft erwehln.

SENECA.

Princeßin / was für Gifft sol unser Artzney heilen?

AGRIPPINA.

Die / die Poppeens Brunst wil euch und uns zutheilen.

BURRHUS.

Sie melde / was sie drückt. Wir bieten ihr die Hand.

OCTAVIA.

Macht ihren Ehbruch ihr euch so sehr unbekand?

SENECA.

Sie fürchte sonder Grund den Käyser diß zu zeihen.

AGRIPPINA.

Die Sonnen-helle That kan uns schon Grund verleihen.

BURRHUS.

Ist ihr Bekäntnüs dar? Sind Zeugen dieser That?

OCTAVIA.

Es zeugts: Daß Nero sich mit ihr verschlossen hat.

SENECA.

Mehr als zu schwacher Grund in so sehr schwerer Sache.

AGRIPPINA.

Was schafft ein geiles Weib in frembdem Schlaf-Gemache!

BURRHUS.

Ein eyfernd Auge macht stets den Verdacht so groß.

OCTAVIA.

Ihr gleichsam gläsern Kleid[62] entblöße Brust und Schooß.

SENECA.

Man gibt nicht leichtlich Gifft in sichtbaren Geschirren.

AGRIPPINA.

Man muß die Vogel ja durch schöne Beeren kirren.

BURRHUS.

Weiß sie Poppeen sonst zu sagen nichts nicht nach?

OCTAVIA.

Ihr glühte Stirn und Ohr[63] als sie sich sein entbrach.

SENECA.

Sie selbst / Octavie / hat Schuld / ist was geschehen.

OCTAVIA.

Hilf Himmel! Wil man so die Laster auff uns drehen?

SENECA.

Sie lockt den Käyser nicht liebreitzende zur Lust.

AGRIPPINA.

Was Libreitz bey ihm gilt / ist leider! uns bewust.

SENECA.

Wie hett ihr sonst Poppe' im Liben abgewonnen?

OCTAVIA.

Man siht begieriger Cometen an / als Sonnen.

BURRHUS.

Wie? Daß der gantze Hof denn ihr schäl Antlitz haßt?

AGRIPPINA.

Wer haßt die nicht / auff die der Käyser Schälsucht faßt.

SENECA.

Der Sanftmuth Zucker muß der Fürsten Unhold läutern.

OCTAVIA.

Die Natter sauget Gifft aus Zucker-süssen Kräutern.

BURRHUS.

Mißt sie dem Ehgemahl der Nattern Würckung bey?

OCTAVIA.

Ach! Daß er grimmer nicht als grimme Nattern sey!

SENECA.

Die Eyfer-sucht verkehrt zu Mitternacht den Schatten.

AGRIPPINA.

Ihr sollet nichts / was uns zu Eyfer reitzt / gestatten.

SENECA.

Man muß den Fürsten oft was durch die Finger sehn.

OCTAVIA.

Wenn diß in Lastern gilt / so ists umb uns geschehn.

BURRHUS.

Geduld! Poppeens Gunst wird nicht so lange blühen.

OCTAVIA.

Biß man das Purpur-Kleid uns aus / ihr an wird zihen.

SENECA.

Gebrauchte Schönheit wird ein Rosen-leerer Strauch.

OCTAVIA.

Ist Acte libes Kind nicht noch nach dem Gebrauch?

BURRHUS.

Sie aber Käyserin. Was eyfert solche Würde?

OCTAVIA.

Der Stand / den Sorg und Angst beschwert / ist Last und Bürde.

SENECA.

Sorgt sie so sehr: Daß ihr die Hand-voll Lust entgeht?

AGRIPPINA.

Nein! Daß Poppee schon halb auf dem Throne steht.

BURRHUS.

Sie wollen beyde sich des Argwohns doch entschütten.

OCTAVIA.

Was kan ein geiles Weib beim Buhlen nicht erbitten?

SENECA.

Erwarb der Acte Brunst ihr so unschätzbarn Lohn?

AGRIPPINA.

Ihr Knechtisch Uhrsprung war zu niedrig auf den Thron.[64]

BURRHUS.

Sie sol den Attalus zu ihren Ahnen haben.

AGRIPPINA.

So tichteten die / die erkaufftes Zeugnüs gaben.

SENECA.

Sie tasten mit Gefahr des Käysers Zepter an.

AGRIPPINA.

Ha! Daß ein Weiser noch die Laster loben kanl

SENECA.

Sie sage selber es dem Käyser ins Gesichte.

AGRIPPINA.

Er dencke: mit was Ruhm er so sein Ampt verrichte?

BURRHUS.

Was gibet Nero mehr auf uns und unsern Rath?

AGRIPPINA.

Nichts; Weil er Pferden Sold /[65] wie euch gesätzet hat.

BURRHUS.

Sie dulde / was sie nicht ist mächtig zu verwehren.

AGRIPPINA.

Solln wir schaun zu / biß uns die Flamme wird verzehren?

SENECA.

Wer Fehler rücket für / geust Oel in Brand und Glutt.

OCTAVIA.

Wer / wenn er kan / nicht wehrt / ist ärger / als ders thut.

SENECA.

Ja! Diener solln auch Schuld an Brand und Hagel haben.[66]

AGRIPPINA.

Diß Nachsehn wird euch selbst noch eine Grube graben.

SENECA.

Fühlt ihre Mutter-Brust nicht Kinder-Libe mehr?

AGRIPPINA.

Wer sehr libt / wenn er libt /[67] haßt / wenn er haßt / auch sehr.

BURRHUS.

Wir wolln dem Käyser treu auch bei Verfolgung bleiben.

AGRIPPINA.

Wenn er für euren Dienst euch wird den Bluttspruch schreiben.

SENECA.

Ich mercks / wohin sie lockt. Nicht hoffe: Daß mans thut.

AGRIPPINA.

So kommt denn umb / weil ihr nicht läschen wollt die Glutt!

OCTAVIA.

Hilf Himmel! Nun entfällt uns unser bestes Hoffen.

So ists / der Rosen Haupt / der Häuchler Ohr steht offen

Nur / wenn der sanfte West belibter Zeitung streicht.

Ja / wer durch Laster nur des Käysers Gunst erreicht /

Ist Abgott auf der Burg. Poppee muß ja siegen /

Weil Niemand von ihr wil ein sauer Auge krigen.

AGRIPPINA.

Mein Kind / wenn uns der Wind nicht wil in Hafen führn;

So muß der Armen Fleiß die schweren Ruder rührn.

Man suche fördersamst dem Otho zu entdecken:

Poppee pflege sich durch Ehbruch zu beflecken.

OCTAVIA.

Wir haben Wind: Daß ihn der Fürst noch diesen Tag /

Damit sein geiles Weib frey sicher buhlen mag /

Von hier entfernen wird. Man hat ihm schon befohlen:

Zu kommen auf die Burg den Abschied abzuholen.

AGRIPPINA.

Er muß bey uns vorbey ins Käysers Zimmer gehn.

OCTAVIA.

Gleich kommt er.

AGRIPPINA.

Wol! auf ihm scheint unser Heil zu stehn.

Agrippina. Otho. Octavia.

AGRIPPINA.

Wohin eilt Otho so?

OTHO.

Ich sol den Käyser schauen.

OCTAVIA.

Verlangt den Käyser mehr nach dir / als deiner Frauen?

OTHO.

Was gehet meine Frau Sie und den Käyser an?

OCTAVIA.

Vielleicht ihn mehr als dich. Daß er sie küssen kan.

OTHO.

Wie mag ihr solch Verdacht umbnebeln das Gesichte?

AGRIPPINA.

Sagt / was sie wichtiges beim Käyser sonst verrichte?

OTHO.

Gesätzt / er küsse sie. Ein Kuß macht keinen Fleck.

OCTAVIA.

Des Küssens Pfeile zieln auff einen fernern Zweck.

OTHO.

Von keuschen Seelen wird kein ferner Wunsch vergnüget.

AGRIPPINA.

Ein Weib bleibt keusch / biß sie zur Untreu Anlaß krieget.

OTHO.

Ist diß der Weiber Ruhm? Wer wil euch ferner traun?

OCTAVIA.

Candaulens Frau blieb keusch /[68] biß daß er sie ließ schaun.

OTHO.

Was nützt ein Schatz / den man Niemanden darf entdecken.

AGRIPPINA.

Der klärste Spigel krigt von geilen Augen Flecken.

OTHO.

Der Sternen Glantz bleibt rein / siht sie gleich alle Welt.

OCTAVIA.

Gläubt: Daß nichts Irrdisches des Himmels Farben hält.

OTHO.

Was ist der Perlen-Schnee in Schnecken-Muscheln nütze?

AGRIPPINA.

Kein Eßig fälscht sie nicht im Mütterlichen Sitze.

OTHO.

Wer wil sein Weib allzeit ins Zimmer schlüssen ein?

OCTAVIA.

Man mache sie nur nicht bey Fürsten zu gemein.

OTHO.

Es bringet Ehr und Ruhm bey Fürsten seyn gesehen.

AGRIPPINA.

Wer hoch gesehn seyn wil / muß lassen viel geschehen.

OTHO.

Des Ehstands heilige Band beschützt sie für Gefahr.

OCTAVIA.

Schützt die Chryseis doch nicht Infel / nicht Altar.

OTHO.

Poppeens Tugend kan nicht ausser Schrancken gehen.

AGRIPPINA.

So gehts: Wer Hörner trägt / der siht sie selbst nicht stehen.

OTHO.

Gesetzt / ich trüge sie; Was fragen sie darnach?

OCTAVIA.

Uns jammert: Daß er so geduldig trägt die Schmach.

OTHO.

Was wolten sie mich denn hierfür für Artzney lehren?

AGRIPPINA.

Des Thäters Blutt wäscht nur das Brandmal ab der Ehren.

OTHO.

So würde Rom bald leer / die Welt voll Leichen seyn.

OCTAVIA.

Beschimpfung wird kein Ruhm / ist sie gleich noch gemein.

OTHO.

Des Weibes That kan nicht dem Manne Flecken brennen.

AGRIPPINA.

Wie? Daß diß jedes Kind pflegt höchsten Schimpf zu nennen?

OTHO.

Ein Weib sätzt weder uns in Ehren / noch in Schimpf.

OCTAVIA.

Gar recht! man lockt den / der uns schimpfft / durch solchen Glimpf.

OTHO.

Man nimmt ein Weib zur Lust / nicht umb des Ansehns willen.

AGRIPPINA.

Das Wollust-Bette gläntzt mehr mit den Purperhillen.

OTHO.

Der Mohnd empfängt / und gibt der Sonnen gar kein Licht.

OCTAVIA.

Verfinstert aber er den Mann / die Sonne nicht?

OTHO.

Der Anmuth-Strahl vertreibt leicht alle Finsternüße.

AGRIPPINA.

Vergällter Reben-saft wird nimmermehr recht süsse.

OTHO.

Schaut: Wie des Monden Haupt sich oft mit Hörnern kräntzt.

OCTAVIA.

Er leuchtet mehr / wenn er mit vollem Silber gläntzt.

OTHO.

Uns aber kan kein Weib mit mehrer Lust ergätzen /
Die gleich nur einen libt. Aus allzeit-reichen Schätzen
Kan man ihr viel betheiln. Wer arm von eignem Ruhm /
Sucht aus des Weibes Werth nur frembdes Eigenthum.
Einfältige! was sol ich eyfern und beweinen
Die Strahlen süsser Lust / daß sie auch andern scheinen?
Glaubt sicher: Mir entgeht der Wollust-Frühling nicht;
Ob Nero gleich zur Zeit Poppeens Rosen bricht.
Ihr Himmlisch Antlitz kan mich und auch ihn bestrahlen.
Ein schönes Weib ist ja / die tausend Zierden mahlen /
Ein unverzehrlig Tisch / der ihrer viel macht satt /
Ein unverseigend Kwäll / das allzeit Wasser hat /

Ja süsse Libes-Milch; Wenn gleich in hundert Röhre
Der linde Zukker rinnt. Es ist der Unhold Lehre /
Des schelen Neides Art / wenn andern man verwehrt
Die Speise / die sie labt / sich aber nicht verzehrt.
Wer zürnet: Daß das Rad der Sonnen andern leuchtet?
Daß des Gewölckes Schwamm auch frembde Wisen feuchtet?
Was solt ich denn mein Licht Poppeen schäl sehn an:
Daß sie das Libes-Oel / das ich nicht brauchen kan /
Flößt frembden Ampeln ein?

OCTAVIA.

Hilf Himmel ich erschrecke:
Daß ein so Knechtisch Geist in einem Römer stecke.
Wird der so kluge Schluß itzt ein verächtlich Traum:
Im Ehbett und im Thron hat kein Gefährte Raum?
Verkennt sich die Natur: Daß auch ein Staub versehre /
Ein Anrührn thue weh den Augen und der Ehre?
Zu dem weiß Otho nicht / in was die Anmuth steckt?
Das Küssen / wenn der Mund nach frembden Speichel schmeckt
Ist Unlust / Eckel / Gifft. Die schönsten Lügen taugen
Den reinen Bienen nicht das Honig außzusaugen /
Auf die ein Kefer hat den geilen Koth geschmiert /
Wo sich die Wespe speist. Halß / Brust und Schooß verliert
Durch Ehbruch allen Trieb

OTHO.

Diß überrede Kinder:
Daß sich der Schönheit Reitz durch fremdes Liben minder'.
Ich halts für einen Ruhm / des Käysers Schwager seyn.
Ja glaubt: Daß diß der Brunst mehr Libes-Oel flößt ein;
Daß Nero die / (von der ich stündlich kan genüßen
Den Wollust-reichen Strom) nur darff zu weilen küssen.
Gesätzt: Daß unser Ehr auch werde, was befleckt /

Wenn eine Frau die Schoos gemeiner Lust entdeckt;
Der Sonne kräfftig Blitz tilgt alle Nebels-Dünste /
Zeucht alle Flecken aus. Von Fürsten klebt das minste
Verkleinerliches an. Ja was schätzt der gar viel
Ein Weib / des Pöfels Ruff / der sich im Gipffel wil
Geehrter Würden sehn. Aus Hoffnung künfftger Höhe /
Trug Macro Ennien[69] zur Wollust und zur Ehe /
Dem künfftgen Fürsten an. Warumb rückt man denn mir
Daß / der schon Käyser ist / Poppeen küsse / für?
Die Ehr / in welche mich die hohen Aempter heben /
Die Lust / die Nerons Tisch und Schauplatz mir kan geben /
Bezahlen reichlich mir den wenigen Verlust.

AGRIPPINA.

Welch Traum verwirrt dein Haupt / welch Wahnwitz deine Brust?
Wilstu von Disteln Frucht / von Schlangen Gunst erlangen?
Du wirst zur Blüthe Schimpff / zur Frucht den Tod empfangen.
Diß stiftet / der durch Gifft verzuckert-süsser Gunst
Den Mann bringt zur Geduld / sein Weib zu böser Brunst.
Rühmstu dich: Daß der Fürst mit Aemptern dich berücket?
Man sperrt die Vogel ein / die man nicht bald erdrücket;
Diß güldne Keficht zeucht den Untergang nach sich.
Ist dir noch nicht bewust; Warumb der Käyser dich
Nach Hofe fordern läßt?

OTHO.

Ich sol an Tagus reisen.

AGRIPPINA.

So pflegt man unterm Schein der Ehren zu verweisen
Den / der des Käysers Lust sol keinen Eintrag thun.
Wo anders tolle Brunst es läßt hierbey beruhn.
Denn wer vom Hofe kömmt / kömmt endlich auch vom Leben.
Kan Clytemnestre dir kein bluttigs Beyspiel geben?

Ein Weib / versichre dich / daß Eh und Eyde bricht /

Hält Blutt-Beil / Gift-Glaß / Dolch für kein Verbrechen nicht.

OTHO.

Ich wil auff ihre Treu aufs Käysers Gnade hoffen.

Ich muß zum Käyser eiln / das Vorgemach steht offen.

AGRIPPINA.

Geh hin! Wer selbst sich stürtzt ist nicht bejammerns werth.

Wo aber wird von uns das Segel hingekehrt?

Umb das Sirenen-Lied Poppeens zu umbschiffen?

Es werde der Magnet der Laster nur ergriffen /

Nachdem uns der Compaß der Tugend irre macht.

Nur Muth! Durch Kühnheit wird gefährlich Ding vollbracht.

Der Schauplatz verändert sich ins Käysers Gemach.

Nero. Otho. Paris.

NERO.

Mein Freund / dir unsre Gunst nun würcklich kund zu machen /

Und daß wir für dein Heil so wie für unsers wachen /

Sol unser itzig Schluß ein kräftig Zeugnüs seyn /

Der in gantz Portugal dich sätzt zum Land-Vogt ein.

Nimm Schwerdt und Gürtel hin / als Zeichen deines Standes.

Die Vollmacht: und / nachdem der Zustand selbten Landes

Nicht kan sein Haupt entbehrn / so muß noch diesen Tag

Die Reyse seyn bestellt. Dein Weib Poppee mag /

So viel ihr Hauß vergönnt / in-des zu Hofe leben.

OTHO.

Daß ihre Majestät mich zu der Würd erheben /

Ist kein gemeiner Strahl des Käysers Gnade nicht.

Ich opffere dafür / Gehorsam / Treue / Pflicht;

Und wünsche: Nerons Hauß mög ewig sieghaft blühen.

Wie aber? Darf mit mir nicht auch Poppee zihen?

PARIS.

Der Frauen Zärtligkeit säumt Reisen allzusehr:

Zu dem ist Nerons Schluß: Daß künftig Niemand mehr[70]

Dem man ein Land vertraut / sein Weib sol mit sich führen.

Der Kühnste muß durch sie oft Hertz und Muth verliehren /

Wenn es zum Treffen kommt. Scheint aber Glück und Ruh /

So eignet sie wol gar ihr Heer und Länder zu /

Schätzt Völcker / mustert Volck / gibt Sold nach ihrem Willen.

Uns denckt: Daß sich ein Weib ein gantzes Heer zu stillen[71]

Im Aufruhr unterstand. Wenn strafft der große Rath

Je einen: Daß er Land und Volck erschöpffet hat /

Da nicht das Weib mehr hat der Länder Schweis erpresset?

Ihr Geld-Durst säuget aus / was Ehrsucht übrig lässet /

Nachdem des Oppius Gesätz ist abgebracht /

Das aber von stund-an der Käyser giltig macht.

OTHO.

Der Vorwelt raue Zeit bedorffte raue Lehren.

Jetzt aber nun die Welt demüttig Rom muß ehren /

Nun nichts als Friede blüht / so scheint es was zu scharf:

Daß kein belibtes Weib dem Manne folgen darf.

Wordurch wird / wenn man itzt kömmt Krafft-loß aus den Schlachten /

Wenn Sorg und Rathhauß uns hat lassen halb verschmachten

Das lächsende Gemütt erfreulicher erfrischt;

Als wenn der Liebsten Hand uns Schweiß und Staub abwischt?

Gesätzt: Daß eine / zwey / und mehr oft was verbrochen /

Wie kan auf aller Hals das Urtheil seyn gesprochen?

Die Männer haben Schuld an allem / was geschehn /

Die ihnen allzuviel meist durch die Finger sehn.

Der Weiber Schuld reicht uns an Lastern nicht den Schatten.

Wie? Daß man gleichwol uns pflegt Länder zu verstatten /

Und uns zu Häuptern sätzt? Zu dem so traget man
Der schwachen Frauen Gunst fast frembder Wollust an /
Durch Absein langer Zeit / indem des Argos Augen
Auch gegenwärtig nicht zu Keuschheits-Hüttern taugen.

PARIS.

Es ist des Käysers Schluß. Was wendestu viel ein?
Wer Fürsten wil gefalln /[72] muß nur gehorsam seyn.
Dein Ampt kan den Genüß Poppeens leicht ersätzen.
Du kanst statt einer dich mit hunderten ergätzen.
Die Götter geben Glück und Heil zur Reyse dir.

OTHO.

Ich wünsche noch so viel dir Segen / als du mir.

Reyen der *Vesta*lischen Jungfrauen und der *Rubria.*

DIE JUNGFRAUEN.

Du güldnes Rom / du ewigs Haupt der Erden /
Wir wachen zwar bey Vestens Glutt und Heerd;
Daß sie nicht solln zu todter Asche werden;
Daß sich das Oel in Ampeln nicht verzehrt:
Allein umbsonst! Kein Zunder wil mehr glimmen /
Die Flamm erstickt /[73] die Drommel klinget hohl /[74]
Der Göttin Bild scheint selbst sich zu ergrimmen /
Ihr Sitz erbebt / kein Weyrauch räucht mehr wol.

RUBRIA.

Ist / Schwestern / diß wol Wunderns werth?
So bald in Ilium der Geilheit Brunst entglam /
Und Paris Helenen dem Menelaus nam;
Ward unser Feuer auch verzehrt.
So bald ihr Tempel ward befleckt
Entwiech die Göttin weg / ihr Bild ward fortgetragen;[75]

Gantz Troja ward in Brand gesteckt /

Der Stamm des Dardanus vertilget und zerschlagen.

DIE JUNGFRAUEN.

So ists / Rom wuchs aus Trojens Graus' und Flamme.

Doch / der hieher das Heyligthum gebracht /[7677]

Wird ewig blühn in Cæsars Blutt und Stamme;

So lang er nicht diß Heilge fleckicht macht.

Was sagst denn du / Caßandra diser Zeiten

Von Asiens Begräbnüß auf uns wahr?

Wer ist belegt mit Paris Uppigkeiten?

Und wer befleckt der Göttin ihr Altar?

RUBRIA.

Die Pristerin trägt selbst den Fleck /[78]

Der Fürst hat sie durch Zwang entweyht mit böser Lust.

Weg Gürtel von der Schooß / weg Monde von der Brust /

Weg Haube / Krantz und Schleyer weg![79]

Ich seh in Rom schon Trojens Brand /

Von Agrippinen ist die Fackel ja gebohren;

Dem Otho wird Poppe' entwand /

Und für die Helena das Käyserthum verlohren.

DIE JUNGFRAUEN.

Hilf Himmel! ist solch Greuel vorgegangen:

So ists mit Rom und unserm Feuer aus!

Wenn Hecuben kein Opffer Glutt wil fangen /[80]

Spielt schon die Glutt umb Aßarachs sein Hauß.

Die Mauren / die gleich Götter aufgeführet /[81]

Sind Lastern doch kein sattsam sicher Schild.

Das Glück ist hin / so bald uns wird entführet

Der Jungfrauschafft beschirmend Pallas-bild.[82]

RUBRIA.

Ach ja! hört / wie der Blitz schon kracht /[83]

Der aus Augustus Hand der Käyser Zepter schlägt.

Der Lorber-Wald verdorrt / den Livie gehegt /

Woraus man Sieges-Kräntze macht.

Sol nun auch Rom vertilgt nicht seyn;

So muß durch meinen Tod versöhnt die Göttin werden.[84]

Kommt / Schwestern / schlüßt in Sarch mich ein /

Vergrabt mit Milch und Brod mich lebend in die Erden.

DIE JUNGFRAUEN.

Unschuldig Blutt häufft was der Himmel dreuet.

Ein mit Gewalt geküßter Mund sprützt weg

Den Kuß / die Schmach. Wird gleich der Leib entweyhet /

So brennt doch Zwang der Seele keinen Fleck.

Es werd auf sie geweyhte Flutt gespritzet![85]

Numicus Strom[86] würckt was Canathus Flutt /[87]

Wo nur des Leibes Jungfrauschafft ersitzet.

Die Seele wird gereinigt nur durch Blutt.[88]

RUBRIA.

Durch Blutt fällt freylich Boßheit hin!

Gläubt: Daß so bald der Mensch mit Lastern sich vergreift /

Die Rache Jupiters auch schon die Keile schleifft.

Mein gantz verzückter Geist wird inn' /

Und siht: Wie auf die geile Brust

Der Mutter auch ein Sohn den stumpffen Dolch muß wetzen.

Poppee büßt auch Schuld und Lust

Und Nero muß die Faust im eignen Blutte netzen.

DIE JUNGFRAUEN.

Laßt schuldig Blutt die Missethat bezahlen.

Wir wolln die Glutt aufs neue machen klar.

Sätzt Flutt und Oel an Titans heisse Strahlen /[89]

Streut rothes Saltz[90] zum Opffer aufs Altar;

Daß mit der Schuld auch Unschuld nicht darf leiden.

Glück zu! Glück zu! Die Flamme steckt sich an!

Nun mögt ihr euch / ihr Sterblichen / bescheiden:

Daß Andacht auch die Sternen meistern kan.

Die dritte Abhandlung.

Der Schauplatz stellet vor einen Spatzier-Saal.

Acte. Burrhus. Seneca.

ACTE.

Das Tigerthier / das erst der Fürst hat loß gelassen /

Fängt itzt den Jäger an selbst grimmig anzufassen;

Und / nun ihm Stahl und Gifft scheint allzu schwach zu seyn /

So fässelt sie den Printz mit Zauber-Kreißen ein

Durch rasend-tolle Brunst. Des Käysers Mutter kirret

Den Sohn zur Blutt-Schand an / nachdem sie gantz verwirret

Durch giftgen Ehrgeitz ist.

BURRHUS.

Es kommt unglaublich mir:

Daß Agrippinens Hertz solch Laster koche / für.

ACTE.

Die That ist Sonnen-klar. Denn / als sie wahrgenommen:

Daß Cæsarn Hitz und Wein war in die Stirne kommen

Als Zunder geiler Lust / drang Agrippine sich

Zur Taffel ins Gemach. Der Sonne Gold erblich

Für Demant und Rubin / darmit sie war behangen.

Ihr Gold-bestreutes Haar[91] nebst den beblümten Wangen /

Ihr Ambra-hauchend Mund / die gantz entblößte Brust

War ihrer Geilheit Garn / der Leim vergällter Lust.

Als Libes-äugeln ihn zu zwingen nicht war kräftig /

War seiner Lippen Brand umb ihren Mund geschäftig /

Die Brüste schwellten sich hoffärtig in die Höh /

Durch schnelles Athem-hohln. Gleich / als aus diser See

Sein schon verschmachtend Hertz die Nahrung solte saugen
Der süssen Anmuths-Milch. Diß Gift drang durch die Augen
Dem Käyser in die Seel. Er stand gleich als ein Stein /
Als Leichen / die gerührt von lichtem Blitze seyn /
Wenn itzt der Schwefel-loh durch Glied und Adern fähret.
Indem der Libes-strahl das Hertz in Asche kehret
Die Glieder in Porphyr. Diß / und was sonst noch kan
Der Unzucht Vorschmack seyn / sah ich und ander' an;
Biß / als diß Zauberwerck ihn nur mehr hungrig machte
Sie auf Ersättigung der letzten Speise dachte /
Und ihn durch einen Winck rief in sein Schlafgemach.

BURRHUS.

Ihr Götter! aber folgt ihr denn der Käyser nach?

ACTE.

Wie ein noch saugend Lamb der Mütterlichen Amme.

SENECA.

Der Satyrus umbarmt so auch die schöne Flamme /
Ob ihm gleich Lieb und Glutt dar sein Begräbnüs baun.

BURRHUS.

Ist Agrippinen wol die Unthat zuzutraun?

ACTE.

Die Ehrsucht schämet sich kein Laster zu begehen.
Die macht: Daß Purperbett' auch Knechten offen stehen /
Daß Agrippine wird vom Lepidus befleckt /[92]
Daß sie die geile Schooß des Pallas Brunst entdeckt.
Da nun Verzweifelnde Gifft oft zur Artzney nähmen;
Viel minder wird itzt sie den giftgen Eyfer zähmen /
Weil sie / die vor geherscht / nunmehr gehorchen muß.
Denn diß / was man geschmeckt / wird mit vielmehr Verdruß
Und schälerm Aug entbehrt / als was uns nie ergetzet.

BURRHUS.

Gesätzt: Daß Ehrgeitz sie zu solcher Brunst verhetzet /
Gesätzt: Daß sie Versuch anreitzend auf ihn thu:
So trau ich doch so viel des Käysers Tugend zu:
Er werde sich behertzt der Boßheit widerlegen.

SENECA.

Der Jugend weiches Wachs läßt alles in sich pregen.
Voraus drückt sich das Bild der Wollust ihm leicht ein.
Welch zarter Geist kan auch mehr rau / als eisern seyn?
Der sich nicht den Magnet der Schönheit lasse zihen.
Wo der Gelegenheit bequeme Blumen blühen /
Reitzt das Zuneigungs-Aug auf Rosen auch den Geist /
Wo gleich der Laster-Dorn ihr schnödes Haupt umbschleust.

BURRHUS.

Kan der Vernunfft ihr Zaum sie nicht zurücke halten /
Wird der Begierden Brand aus Abscheu ja erkalten /
Durch Kälte der Natur / die geile Lilgen sämt
Umb keine Mutter-Brust. Die Boßheit steht beschämt
Und läscht die tolle Brunst in diesen Marmel-Kwällen /
Daran die Zunge soog. Ja dieser Bälg Aufschwellen
Bläst Venus Fackel aus durch keuschen Athem-Wind.

SENECA.

Diß sehen Augen zwar / die nicht vernebelt sind:
Wenn aber schon ein Funck im Hertzen Zunder findet
Brennt alles lichter loh. Vernunft und Tugend schwindet
Für dem Begierden-Rauch und der Bethörte kennt
Geblütt und Mutter nicht.

BURRHUS.

Was auf den Lippen brennt
Der Mutter / ist nicht Gift / nicht Schwefel böser Lüste.
Zu dem trägt jede Frau fast itzo nackte Brüste.

Die aber / die ihr gleich läßt küssen Mund und Brust /
Macht nicht die Schooß bald feil für die verbothne Lust.

ACTE.

Wen auf der Brüste Felß / auf die Corallen Lippen
Der Augen Irrlicht führt / der strandet an den Klippen
Der geilen Schooß un-schwer. Hier rinnt die Wunder-Flutt
Da oben sich steckt an der Libes-Fackel Glutt /
Und in dem Grunde nur die heisse Flamme dämpffet.
Ob wider die Natur gleich auch solch Feuer kämpffet /
So büßt doch die Natur für Agrippinen ein /
Weil ihre Würckungen mehr als Natürlich seyn.
In sie ward Claudius durch Zauberey verlibet.[93]

SENECA.

Daß man die Uhrsach erst so frembden Künsten gibet:
Der Libreitz einer Frau ist schon die Zauberey.
Sie macht aus Wachse Stahl / bricht Ertzt und Stein entzwey.
Der Fisch / der in der Flutt[94] die Tugend hat zu brennen /
Der auch ein stählern Garn kan als wie Wachs zertrennen /
Verlieret mit der Krafft die Freyheit / wenn ihn rückt
Ein Netze / welches man aus Weiber-Haaren strickt.

BURRHUS.

Steckt beyder Hertze nicht noch voller Zorn und Gallen?
Sie reitzt Regiersucht ja / nun sie so hoch gefallen;
Ihn sticht die Eifer-sucht: Weil sie stets herrschen wil.
Wie kan solch widrig Ding denn ein vereinbart Ziel
Des Libens ihm sehn ab?

ACTE.

Wer weiß nicht daß die Rache
Mit Zucker falscher Hold ihr Gift-Glaß süsse mache.
Der Zorn / der auch gleich sonst das Unrecht gräbt in Stein /
Schreibt nur in Sand und Staub der Frauen Fehler ein /

Die ein verliebter Hauch / ein linder West verstreichet.

SENECA.

Es sey dem / wie ihm sey. Wenn schon der Kranck erbleichet /

Ist Kraut und Saft umbsonst. Ein Artzt muß seyn bemüht /

Mit Mitteln / wenn er nur ein Kranckheits-Merckmahl siht.

Warumb sparn wir den Rath biß daß die That begangen

Für welcher Rom erstarrt? Es werd auch gleich enthangen /

Daß dieses Gift nicht steck in Agrippinens Brust;

Der Artzney übrig Brauch ist kein so groß Verlust /

Als wenn durch Sparsamkeit der Krancke Schiffbruch leidet.

BURRHUS.

Gar recht! Jedoch welch Artzt ist / der hier sicher schneidet /

Wo der Begierdens-Krebs schon an dem Hertzen nagt?

Wo Ungedult den Geist / das Fleisch der Kitzel plagt?

ACTE.

Der thu es / der darumb dem Printz steht an der Seiten.

SENECA.

Auf disem Eise pflegt der Klügste meist zu gleiten.

Dem Frauen-Zimmer steht hingegen etwas frey /

Was uns verbothen ist. Ich mein' es: Acte sey /

Die sich am sichersten des Wercks darf unterstehen.

ACTE.

Ich Aermste! Sol für euch aus Vorwitz untergehen?

Das Ampt heischt diß von euch. Wer in der Würde steht /

Muß reden / was er sol.

SENECA.

Wenn sich ein Fürst vergeht /

Muß man mit gutter Arth / nicht mit zu scharffer Strenge

Von Lastern ihn zihn ab. Ein Löwe / der zu enge

Gefässelt wird / bricht Stahl und Kefticht morsch entzwey.

Ein edles Pferd macht sich von Zaum und Zügel frey /

Der ihn zu harte drückt. Sie aber kan verhütten
Die That / und darf doch nicht des Käysers Gunst verschütten.
Sie melde: Daß die Schaar / die umb den Fürsten wacht /[95]
Zu Aufruhr sey geneigt / aus eyferndem Verdacht:
Daß Agrippine mit dem Sohne sich beflecke /
Weil sie so heimlich stets bey ihm im Zimmer stecke:
Und also schätzten sie des Käyserthums nicht werth
Kein so entweyhtes Haupt.

ACTE.

Weil ihr es ja begehrt /
Wil ich auf euer Wort des Werckes mich erkühnen.

BURRHUS.

Es wird dir zu viel Ruhm / uns zur Vergnügung dienen.

Der Schauplatz verändert sich in des Käysers Schlaff-Gemach.

Agrippina. Nero.

AGRIPPINA.

Mein Kind / mein süsses Licht / was hältstu länger mir
Der halb-geschmeckten Lust mehr reiffe Früchte für?
Die Libe die sich noch läßt in den Augen wigen /
Läßt sich mit lauer Milch der Küsse zwar vergnügen:
Wenn aber schon diß Kind biß zu der Seele wächst /
So siht man: Daß sein Durst nach stärckerm Nectar lächst.
Mein Schatz / es sättigt nicht des Küssens reitzend Kosen.
Die Purper-Lippen sind die rechten Zukker-Rosen /
Darunter stets die Zung als eine Natter wacht /
Biß uns ihr züngelnd Stich hat Brand und Gifft beybracht /
Den nur der glatte Schnee der Schooß weiß abzukühlen.
Warumb denn lissestu mich deinen Liebreitz fühlen /
Wenn du dein Labsal mir zeuchst für dem Munde weg?

Ach! so erkwick uns doch der Libe letzter Zweck!

Die Anmuth ladet uns selbst auf diß Purper-bette.

NERO.

Ja / Mutter / wenn mich nicht die Schooß getragen hätte.

AGRIPPINA.

Die Brüste / die du oft geküßt hast / säugten dich:

Was hat nun Brust und Schoos für Unterscheid in sich?

NERO.

Es hält uns die Natur selbst bey dem letzten wider.

AGRIPPINA.

Wirf / was die Freyheit hemmt / der Thorheit Kap-zaum nieder /

Der für den Pöfel nur / für Sclaven ist erdacht.

Wenn der Begierden Pferd uns Bügel-loß gemacht /

So muß ihm die Vernunfft den Zügel lassen schüßen /

Biß sichs nach Müdigkeit selbst wieder ein läßt schlüßen /

Wenn es nicht stürtzen sol.

NERO.

Man sorge / wenn es springt:

Daß uns der Wille nicht einst aus dem Bügel bringt.

Denn sol man allererst den Zügel ihm enthengen /

Kan's über Stock und Stein uns leicht in Abgrund sprengen.

AGRIPPINA.

Was für ein Abgrund kan hier wol befürchtet seyn?

NERO.

Die Sünde.

AGRIPPINA.

Bilde dir solch alber Ding nicht ein.

Wer unter Satzung lebt / kan nur Verbrechen üben.

Wer aber hat Gesätz' je Fürsten vorgeschriben?

NERO.

Meint sie: Daß Göttern nicht die Sünde mißgefällt?

AGRIPPINA.

Im Himmel herrschet Gott / der Käyser auf der Welt.

NERO.

Hier dämpft selbst die Natur Scham-röthend die Begierde.

AGRIPPINA.

Nein! Ihr Magnet zeucht sich zum Nord-stern reiner Zierde.

NERO.

Absteigendes Geblütt ist übern Mittags-Kreiß /

Darüber kein Magnet von einger Würckung weiß.

AGRIPPINA.

Der Liebe mehr denn viel / die ihre Flammen sämen

In alle Seelen kan. Sol sich die Mutter schämen

Zu liben ihren Sohn? Die mit der Milch ihm flößt

Die Libes-Ader ein. Der Unhold Gift-Maul stößt

So herbe Schleen aus / und sucht die Libes-Kwällen /

Die in der Kinder Hertz entspringen / zu vergällen.

Wer sol die Mutter-Brust mehr liben / als ihr Kind?

NERO.

Ja / aber daß darzu nicht gifftge Wollust rinnt.

AGRIPPINA.

Wo Libes-Sonnen stehn folgt auch der Wollust Schatten.

NERO.

Pflegt doch der Storch[96] sich mit der Mutter nicht zu gatten.

AGRIPPINA.

Einfältger! Wer gibt dir so albre Fabeln ein?

Worwider Stern und Welt selbst müssen Zeugen seyn.

Wir müssen die Natur der Dinge Zirckel nennen.

Denn würde nicht ihr Lauff zu seinem Uhrsprung rennen /

So würd ihr Uhrwerck bald verwirrt und stille stehn.

Des Himmels Umb-trieb muß nach Often wieder gehn /

Wo sein Bewegungs-Kreiß den Uhrsprung hat genommen.

Der Frühling muß zum Lentz / der Fluß zum Kwälle kommen.

Die Sonne rennet stets der Morgen-röthe nach /

Und ihrer Mutter Schoos ist auch ihr Schlaf-Gemach.

Warumb sol denn diß Thun als Unthat seyn verfluchet /

Wenn ein holdreicher Sohn die Schoos der Mutter suchet?

Den Brunnen der Geburth? Da er der Libe Frucht

Und die Erneuerung des matten Lebens sucht.

NERO.

Es läßt hierinnen sich aus Gleichnüssen nicht schlüssen.

AGRIPPINA.

Der Käyser macht ihm nur ein allzu zart Gewissen /

Und läßt sich binden diß / was ihn nicht binden kan.

Ward ein Gesätze doch[97] auch damals abgethan /

Als Claudius mit uns vermählet wolte leben.

Warumb kan Nero denn nicht auch Gesätz' aufheben?

NERO.

Von's Brudern Tochter schickt zur Mutter sich kein Schluß.

AGRIPPINA.

Ist ichtwas / das sich nicht den Fürsten schicken muß?

Zu dem / wird denn von uns / was unerhört / begehret.

Hat Macareus nicht der Canacen gewehret /[98]

Was er auf so viel Thrän und Säufzen uns nicht gibt.

Als sich Antiochus ins Vatern Frau verlibt /[99]

Hat ihm Seleucus stracks die Mutter abgetretten.

NERO.

Kan frembder Irrthum uns von dem Verbrechen retten?

AGRIPPINA.

Der Persen Recht läßt zu:[100] daß eine Mutter sich

Ins Sohnes Bette lägt. Und du besorgest dich:

Daß / was den Pöfel nicht bestrickt / uns Fürsten binde.

NERO.

Viel / was der Perse lobt / ist bey den Römern Sünde.[101]

AGRIPPINA.

Gesätzt: Daß unsre Lieb je ein Verbrechen sey;

Gesätzt: Daß Müttern nicht was Frembden stehe frey /

So dencke: Daß wir ja hier nicht aus Vorsatz irren.

Sol sich der Vogel nicht ins Netze lassen kirren /

So pflantz ihm die Natur nicht das Gelüsten ein;

So tilge sie den Baum / wo schöne Beeren seyn.

Wenn in den Augen schon der Schönheit Schwefel stecket /

Wird in dem Hertzen leicht ein solcher Brand erwecket /

Der nicht zu leschen ist / biß Licht und Tacht entgeht /

Und der Vernunfft Gesicht in vollem Rauche steht.

Sol der nun strafbar seyn / der nicht durch Nebel sihet?

Der sich nicht leschen kan / wie sehr er sich bemühet?

Erwege doch mein Kind: Man nimmt geweyhtes Brodt

Zuläßlich vom Altar bey ärgster Hungers-Noth:

Ich aber / die ich doch der Brunn bin deines Lebens /

Bitt umb die Nahrungs-Milch der Libe so vergebens /

Werd also nur für Brunst erdürstende vergehn /

Wo tausend Kwällen doch beliebten Nectars stehn.

NERO.

Kan wol ein Mutter-Hertz empfinden solche Schmertzen?

AGRIPPINA.

Ich libe dich mit mehr als Mütterlichem Hertzen.

Ich nehme nun nicht mehr den Nahmen Mutter an /

Weil keine Mutter doch so hefftig liben kan.

Er zittert / er erblaßt / ihm beben alle Glieder /

Itzt säuftzt / itzt lächelt er; itzt kommt die Farbe wieder!

Ich merck es: Agrippin ist allzu zaghaft noch.

Wo Worte Kraft-loß sind / da fruchten Wercke doch.

Ich falle dir zu Fuß / ich küsse Knie und Hände.

Mein Kind / erbarm dich doch / und kühle Brunst und Brände?

Wie? oder muß ich gar in Asche seyn verkehrt /

Indem dein Hertze Schnee / dein Antlitz Feuer nehrt?

Schau / wie der Seele Dampf in Thränen schon zerflüße?

Die Lippe schwitzet Oel und Balsam heisser Küsse!

Die rothe Flamme krönt der Brust geschwellte See;

Und Nerons Leib bleibt Eiß / und Nerons Hertz ist Schnee?

Mein Licht / komm lasse doch aus diesen Marmel-Brüsten /

So wie vor Milch / itzt Oel zu säugen dich gelüsten:

Schmeck / ob hier nicht was mehr als Milch für Kinder rinnt;

Weil diese Berge doch der Richt-platz Ida sind /

Da Hoheit und Verstand von Schönheit wird besiget.

Komm schmeck: ob man hier nicht mehr güldner Aepffel kriget /

Als wol Granaten sind. Der Garten einer Schooß

Ist schöner / als wormit sich Hesperis macht groß.

Die Frucht / die hier wird reif / ist Himmel-Brod der Erden /

Ist Nectar aller Welt.

NERO.

Wer hier nicht lüstern werden /

Wer hier nicht naschen wil / muß ein entseelter Stein /,

Nicht Agrippinens Kind / nicht ihr Geblütte seyn.

Komm / Mutter / labe mich mit deinen Mund-Corallen /

Wo mein verlibter Geist nicht sol in Ohnmacht fallen!

Ich brenn / ihr Brüst / ich brenn / itzt hab ich erst geschmeckt:

Daß in dem Schneegebirg ein feurig Etna steckt.

Mein Licht / so lasse nun mit kühlen Anmuths-Wellen

Dis Alabaster-Meer sich gegen mir aufschwellen /

Darinnen sich der Brand der Seele leschen kan;

Entblöß

Acte. Agrippina. Nero. Anicetus.

ACTE.

Ach Fürst! es spinnt sich ärgster Aufruhr an!

AGRIPPINA.

Wer heißt unangesagt dich in das Zimmer dringen?

ACTE.

Die schreckliche Gefahr / die ich euch zu muß bringen.

NERO.

Was für Gefahr?

ACTE.

Das Heer der Leibwach ist entpört /

Und geht mit Meyneyd umb.

NERO.

Warumb? Hastu gehört

Des Lasters Uhrsprung?

ACTE.

Ja. Es meint: Daß Agrippine

Mit ihrem Sohne zu beflecken sich erkühne.

Hierdurch erlasse sie der Himmel ihrer Pflicht.

AGRIPPINA.

Woher rührt solch Verdacht?

ACTE.

Zwar eigen weiß ichs nicht;

Doch muthmaß ich: Es sey der Zunder dieser Flammen:

Daß beyd im Schlaffgemach, alleine sind beysammen.

ANICETUS.

Ach Fürst! ach Käyserin! sie und auch er erbleicht /

Wo sie nicht Angesichts aus dem Gemache weicht.

AGRIPPINA.

Darf Agrippine nun auch nicht den Sohn mehr schauen?

ANICETUS.

Ihr Schauen zeucht nach sich bey Hofe Mißvertrauen.

AGRIPPINA.

Wer gibt dem Hofe Macht zu urtheiln / was geschehn.

ANICETUS.

Man muß beim Aufruhr oft was durch die Finger sehn.

NERO.

Frau Mutter / sie entweich umb den Verdacht zu stillen.

AGRIPPINA.

Ich wil des Käysers Heiß unweigerlich erfüllen.

Jedoch / heißt man uns gleich itzt aus dem Zimmer gehn /

So bleibt im Hertzen doch des Käysers Bildnüs stehn.

ACTE.

Ich muß den Argwohn gehn der Wache zu benehmen /

Eh als diß Unkraut sich noch weiter aus mag sämen.

Nero. Paris. Anicetus.

PARIS.

Ich sorge grosser Fürst / er wird zu letzte fühln

Mit was für Nattern wir in unserm Busem spieln.

Gar recht! ein Jäger pflegt nicht anders auf-zustellen /

Wenn er ein flüchtig Reh wil in die Garne fällen.

Wohin rennt Agrippin / umb sich nur zu erhöhn?

Der Käyser kan uns nicht Gewissenhaft umb-stehn:

Daß ihr hat Unzucht solln zu Ehren-flügeln dienen.

Mein Fürst! Es ist gethan; im Fall er Agrippinen

Drey Tage leben läßt / die sich nicht selbst mehr kennt

Für rasender Begierd? Allein ihr Hertze brennt

So sehr von Libe nicht / als sie von Rache glühet;

Dardurch sie sich den Thron an sich zu zihn bemühet /

Den Zepter aber dir zu winden aus der Hand /
Und solte gleich sie selbst durch ihren Ehren-Brand
In Asche seyn verkehrt. Denn die Begierde düncket
Die Flutt / in welcher nur ihr Todes-Feind ertrincket /
Ein süsser Thau zu seyn / wenn schon sie selbst zugleich
Mit in den Abgrund fällt. Sie libet Kron und Reich /
Nicht aber / Käyser / dich. Ihr Liebreitz ist nur Rache.
Sie sucht nur: Daß sie dich der Welt gehässig mache /
Und daß aus deinem Sarch ihr Lorbern mögen blühn /
Weil ihr dein Ruhm Verlust / dein Unfall bringt Gewien.

ANICETUS.

Sie hat den Halß verwirgt nur durch die bösen Lüste.
Des Ninus Faust durchstach[102] der geilen Mutter Brüste.
Wil sie Semiramis / muß Nero Ninus seyn.
Denn Blutt wäscht Boßheit ab / macht Seelen Tauben-rein.

NERO.

Ich gebe leichtlich nach: Daß unter einem Scheine
Des Libens / Agrippin uns nur zu stürtzen meine /
Daß wir durch ihren Tod sind vielen Kummers frey /
Daß ihr erstarrter Leib des Reiches Pfeiler sey /
Indem ich itzt muß selbst für ihrer Brunst erschrecken /
Dadurch sie (ich gestehs) hat wollen uns beflecken:
Alleine gebt uns nur ein Mittel an die Hand /
Zu tödten diesen Wurm / zu läschen ihren Brand.

PARIS.

Ist Gifft / ist Eisen denn für ihren Halß zu theuer?

NERO.

Nein! nein! Solch Wasser läscht nicht sicher dieses Feuer.
Wolln wir die Mutter uns zu tödten unterstehn /
So muß man wegen Rom mehr als behuttsam gehn.
Der Eyfer für ihr Heil steckt noch in tausend Seelen.

Meinstu daß sich der Mord durch Dolche läßt verhölen?
Ja wer ist so behertzt / der sich den Stahl erkühnt
Zu stossen in ihr Hertz? Das Gift-Glaß gleichfalls dient
Zu unserm Zwecke nicht: Wir haben längst erfahren:
Daß sie für Giffte sich pflegt täglich zu verwahren.
Wir habens schon dreymahl vergebens ihr bracht bey.
Gesätzt: Daß Gift sie auch zu tödten kräftig sey /
So wird sichs doch bey uns ihr nicht gewehren lassen.
Denn / da Britannicus hat müssen so erblassen /
So geht zum andern mal nicht unverdächtig an
Diß / was durch Zufall sich nicht oft ereignen kan.
Die Diener / die sie hat / sind auch nicht zu bestechen.
Denn sie als Meisterin in ieglichem Verbrechen /
Weiß aller List und Kunst zu kommen klüglich für.
Jüngst meinten wir gewiß in ihrem Zimmer Ihr
Durch künstlich Taffelwerck[103] das Todten-brett zu rücken /
Das sie durch schnellen Fall im Schlaffe solt erdrücken.
Allein indem sie früh des Anschlags ward gewahr
Entkam sie sonder Noth der kostbaren Gefahr.

ANICETUS.

Ein Vogel / dem der Strick zu plump ist / bleibt an Bäumen
Zu letzte kleben an. Ich weiß sie weg zu räumen
Ein einig Mittel noch.

NERO.

Eröffn es: was es sey.

ANICETUS.

Ein Schiff / das auf der See bricht von sich selbst entzwey.[104]

PARIS.

Wo ist im Augenblick ein solches Schiff zu krigen.

ANICETUS.

Ich habs schon bey der Hand / nechst am Gestade ligen.

Ich / der ich von Kind-auf mit unverfälschter Gunst
Dem Käyser treu gewest / hab es durch Witz und Kunst
So artlich außgedacht: Daß es in See und Wellen
Jedweden / wen man wil / ohn andrer Noth kan fällen.

NERO.

Sänkt uns solch Unfall denn in keinen Argwohn ein?

ANICETUS.

Was kan dem Zufall mehr als Schiffbruch ähnlich sein?
Ist nicht das wüste Meer ein Spigel schnöder Sachen /
Ein Zirckel Unbestands? Der ungepfälte Nachen
Ein Brett / da nur der Tod drey vier kwer Finger breit
Mit unserm Leben gräntzt? Mehr als Vermessenheit!
Dem Fürsten schreiben zu und sein Verbrechen heissen /
Was Winde / Well und Flutt zerschmettern und zerreissen.
Gesätzt: Es dünck auch wen der Fall nicht ungefähr;
Er muß den Argwohns-Grund mehr denn zu weit holn her
Den Käyser und den Sohn mit Mordthat zu bebürden.
Zu dem / so kan der Fürst mit Sparung keiner Würden /
Die einer Käyserin man jemals angethan /
Sich des Verdachts befreyn. Man zünd ihr Weyrauch an /
Man bau ihr Tempel auf / man wiedem' ihr Altäre /
Man eign' ihr Prister zu / und thu als ob man wäre
Umb ihren Untergang mehr als zu hoch betrübt.

PARIS.

Ich billige den Rath den Anicetus gibt.

NERO.

Wer weiß es: ob sie sich einst auf das Wasser wage.

ANICETUS.

Fürst / Morgen früh gehn an die fünf geweyhten Tage[105] /
Da man Minervens Fest mit tausend Lust begeht
Wo Bajens Lust-Hauß ist / und Welschlands Garten steht.

Hier hat er gutten Fug hinüber sie zu laden

Mit Vorwand: Dort mit ihr zu kurtz-weiln und zu baden.

Die enge See-schos gibt den wenigsten Verdacht.

Denn / da man Brücken vor darüber hat gemacht /[106]

Was mag sie für Gefahr so kurtzen Weg besorgen?

NERO.

So seys! Wir wolln den Tod ihr nicht mehr länger borgen.

Geh / ich vertraue dir den gantzen Anschlag an /

Bestelle was du darfst so heimlich als man kan /

Dardurch du deinem Glück itzt kanst den Grund-Stein legen /

Ich geh indessen sie zur Reise zu bewegen.

Der Schauplatz stellet für der Agrippine Gemach.

Agrippina. Nero.

AGRIPPINA.

Hilf Himmel! Würdigt uns der Fürst zu suchen heim?

NERO.

Mein Licht / der Anmuth Reitz ist ein so zeher Leim /

An dem die Flügel doch der Sinnen kleben bleiben /

Wenn frembde Winde gleich sie in die Lufft wolln treiben.

Der Libes-Wurtzel Safft versäugt im Hertzen nicht /

Wenn gleich des Neides Sturm ihr einge Frucht abbricht.

Vertirbt die Blüth einmal; sie muß doch einst gerathen;

Und Mißwachs wird ersätzt mit zweyfach-fetten Saaten

So fängt auch unsre Lust itzt doppelt an zu blühn /

Wenn ihr der Mißgunst-Zahn wil Milch und Wachs entzihn.

Mich schmertzt zwar der Verlust gewünschter Süssigkeiten

Und daß man uns verrückt die schon gestimmten Seiten;

Alleine Baje sol uns alles bringen ein /

Dahin wir itzo gleich zu fahren Willens seyn

Auf der Minerven Fest. Wil sie uns nun beglücken /
So folge sie uns nach. Dort wird sich köstlich schicken /
Wo die gehölten Felß als Irrgebäue stehn /
Und warme Bäder kwälln /[107] uns heimlich zu vergehn /
Und da / wohin kein Stern / die Sonne nie geschienen /
Wo uns kein Aug außspürt / der Wollust zu bedienen.
Hier zu Pozzol / und Rom ist Pöfel / Heer und Rath
Ein Argos / der auf uns wol hundert Augen hat /
Der auf iedweden Tritt der Fürsten Achtung gibet.

AGRIPPINA.

Daß uns mein Kind ist hold / daß uns der Käyser libet /
Steckt mein halb-kaltes Hertz mit neuen Geistern an.
Daß aber uns der Fürst die Gnad und Gunst gethan:
Uns zur Erlustigung nach Bajen mit zu nehmen /
Heischt unsre Pflicht sich zwar dem Käyser zu bekwämen:
Wie aber folgen wir ihm sonder viel Gefahr /
Weil unsre Gegenwart vor so verhaßt schon war.

NERO.

Der Himmel bleibt belibt / der gleich zuweilen blitzet /
Indem er mehrmals uns mit fruchtbarm Regen nützet;
So wird auch unsre Lieb itzt erst recht fruchtbar seyn /
Schloß gleich der Neid sie einst in trübe Wolken ein.
Zu Baje kan Niemand leicht Schälsucht auf uns fassen /
Indem wir Heer und Hoff hier meist zurücke lassen.

AGRIPPINA.

Auch die er mit sich nimmt / sind wenig günstig mir.

NERO.

Der Schatten kommt der Furcht als Berg' und Thürme für.
Kan auch mein Lorber-Krantz sie für der Neider Blitzen /
Mein Purper für dem Dunst des Argwohns sie nicht schützen?

AGRIPPINA.

Mein Kind / es bringt Verdruß zu oft beisammen seyn /
Und Eckel mischet sich in stetes Küssen ein.

NERO.

Welch Irrgeist hat / O Licht / dich auf den Wahn geleitet.
Der Libe Flügel sind aus Wachse nicht bereitet /
Die der gelibte Strahl der Sonne schmeltzt entzwey.
Wer hertzlich lieb hat / wünscht: Daß er kein mal nicht sey
Von ihrem Strahl entfernt. Denn diß ist sein Vergnügen /
Wenn er nach Adlers-Art kan an der Sonne flügen;
Ihr Anblick ist sein Geist / sein Spiegel ist ihr Licht /
Ihr Glantz versehret auch des Hertzens Augen nicht;
Indem sie sich vielmehr durch Anmuths-Blicke schärffen.

AGRIPPINA.

Ich muß mich nur der Hold des Käysers unterwerffen.

NERO.

Das Schiff / mein Licht / wird itzt schon Segelfertig stehn /
Darauf sie uns kan nach ohn allen Umbweg gehn.
Doch lasse sie uns hier vor dise Gunst genüssen:
Daß wir ihr Augen / Hand / und Brüste mögen küssen.[108]
Gehab dich wol mein Hertz / nimm einen Kuß noch hin!
Denn ich durch dich ja nur hersch und beim Leben bin.
Nicht säume dich / mein Licht / bald dorthin zu gelangen /
Daß / Seele / dich dein Kind dort wieder könn umbfangen.

Der Schauplatz stellet für auf der stillen See unter dem gestirnten Himmel den Schiffbruch der Agrippinen.

Reyen

Der Oreaden oder Berg- der Nereiden oder Meer-Göttinnen.

DIE BERG-GÖTTINNEN.

So sol nunmehr / ihr grimmen See-Göttinnen /
Wenn sich gleich Wolck und Luft nicht schwärtzt /
Und Zefyr mit den Segeln schertzt /
Kein kühner Mast dem Stranden mehr entrinnen?
Die Felsen sind mit Leichen überschüttet /
An welchen sich die Flutt spielt ab /
Und unser Ufer bleibt ein Grab /
Itzt / da nebst euch Alcyone gleich brüttet;
Wir werden endlich zu begraben
Nicht sattsam Sand und Erde haben.

DIE SEE-GÖTTINNEN.

Ihr Nymfen ihr / in Bajens Lust-Gefilde /
Maßt uns so grimmen Sinn nicht bey.
Die Schoos der See / auch wir sind nicht so wilde:
Daß Schiffbruch unsre Kurtzweil sey.
Wir sind darumb auf dises Meer erschienen /
Zu samlen Perl' und Muscheln ein /
Der Käyserin / der grossen Agrippinen
Sie umb ihr güldnes Schiff zu streun.
Glaubt Schwestern: Daß mit seinem Dreyzanks-stabe
Neptunus selbst die Flutt besänftigt habe.

DIE BERG-GÖTTINNEN.

Laßt / grimme Schaar / dorthin die Augen schiessen /
Wo ihr wolt überwisen seyn.
Itzt fällt das Dach des Schiffes ein /[109]
Itzt wird die Last aufs Gallus Kopf geschmissen.
Itzt opffert ihr die Käyserin den Wellen /
Itzt stürtzt auch Aceronie

Und wird entseelet in der See /
Magstu dich wol / O Himmel / noch erhellen?
Und darfst die Augen schöner Sternen
Nicht von so schwartzer That entfernen?

DIE SEE-GÖTTINNEN.

Schwärtzt / Schwestern / nicht die See mit frembden Flecken /
Wir sind so rein als Perl und Flutt.
Der trübe Schaum der Wellen sol verdecken /
Was Kinder-Mord für Greuel thut.
Doch nein! Die See erschrickt und wird zu Eise /
Daß solch Christall ein Spigel sey /
Der aller Welt den rechten Steinfelß weise /
An dem diß Schiff sich stößt entzwey.
Die Laster sind die rechten Schiffbruchs-Winde.
Die Mutter wird ersäuft vom eignen Kinde.

DIE BERG-GÖTTINNEN.

Schweigt! schweigt! Das Meer stürtzt oft auch ohne schäumen.
Verborgne Falschheits-Klippen sind
Gefährlicher als Sturm und Wind.
Wer wolte sich von Kindern lassen träumen:
Daß sie solch Ding auf Mütter solten stifften?
Das Libes-Oel / der Adern Glutt
Ist nicht so kalt als Epp und Flutt.
Ihr Hertz ist nicht durch Unhold zu vergiften.
Wer aber mag bey Well' und Winden
Aufrichtge Treu und Libe finden?

DIE SEE-GÖTTINNEN.

Eilt! eilt! eilt! eilt! ihr schupffichten Delfinen /
Reicht euren holden Rücken dar[110]
Den Schwimmenden / errettet Agrippinen
Aus der verräthrischen Gefahr.

Bringt Schwestern / bringt ein Muschel-schiff der Schnecken /

Daß diese Venus fährt an Port:

Hört / Fisch' / itzt auf vom Mooß und Felsen-lecken /

Helfft der elenden Mutter fort.

Daß alle Welt ein Urtheil könne fällen:

Ein böses Kind sey wilder als die Wellen.

DIE BERG-GÖTTINNEN.

Sie nähert sich dem schilfichten Gestade.

Ihr sanften Westen seyd erweckt /

Die ihr in diesen Klüften steckt /

Eilt / helft! habt Acht: Daß ihr kein Unfall schade.

Du braune Nacht die du steckst Agrippinen

Gestirnte Todes-Fackeln an /

Dein schatticht Sarch sey weg gethan /

Die Sternen solln zu Freuden-feuern dienen.

Glück zu! Glück zu! sie kommt zu Lande.

Schaut aber wie die Boßheit strande!

DIE SEE-GÖTTINNEN.

Bekräntzet nun die Unschuld mit Narzißen /

Das blaue Saltz mit Roßmarin;

So lange Jäscht wird umb dis Ufer flüßen /

Solln hier Corallen-Zapffen blühn /

Zum Zeichen: Daß / wenn Kinder-hold verläschet /

Das Wasser müsse Flammen nehrn.

Die Flutt / die doch stets disen Strand abwäschet /

Wird dis Gedächtnüs nicht verzehrn /

Und dise That wird von der stummen Zungen

Des Schilffes und der Klippen seyn besungen.

Die vierdte Abhandlung.

Der Schauplatz stellet für des Käysers Gemach.

Des Britannicus Geist. Nero schlaffend.

BRITANNICUS.

Schöpfft hier der Wütterich / der Bruder-Mörder Lufft?
Bringt er die Nacht mit stillem Schlaffe zu?
Und mein entseelter Geist hat in der tieffen Grufft
Nicht für der Angst der muntern Rache Ruh?
Ist nicht mehr wahr? Ein lasterhaft Gewissen
Wird von den Nattern böser Lust
Von Würmern banger Furcht gehenckert und zerrissen.
Es billt ein Hund ja in der Brust
So oft das Hertze schlägt / der den vom Schlaff erwecket /
Den mehr geronnen Blutt als edler Purper decket.
War keine geschäftige Spinne nicht dar /
Die / als du mir das Gifft-Glaß eingegossen /
Nahm des mich entseelenden Reben-saffts wahr?
Die diß zur Luft und zur Artzney genossen /
Daraus ich Tod und Galle muste saugen?
Die / was für grimme That ein Bruder hat gethan /
Dir übers Haupt / und aller Welt für Augen
Durch ihr gewebtes Garn lebendig bilden kan?
Ein todtes Schilf wird oft ja Lastern zum Verräther.
Ein Schatten und ein Wind erschreckt die Ubelthäter.
Kommt dir / du Blutthund / nicht mehr ein;
Daß / als an mir des Gifftes braune Flecken[111]
Sol Mahlerey und Gips verdecken /

Die Wolcke muß ein Schwamm / der Regen Tinte seyn /
Der deine Farb außwischt / und auf die Brust mir schreibet:
Der Bruder ist durchs Brudern Gifft entleibet.
Allein / Ertz-Mörder / ach! ich schau
Dein Sinn ist allzu hart / und deine Brust zu wilde:
Daß dir für deiner Boßheit grau' /
Und ihr Gedächtnüs sich dir durch die Träum einbilde:
So drücke dir denn itzt ins Hertzens Kiselstein
Diß Gift-Glaß / dise Glutt der Mordthat Merckmal ein.
Entsätzstu dich: Daß Bajens Lust-Gefilde
Irr-Gärthe blaßer Geister sind /
Wo doch ihr kaltes Blutt nicht rinnt?
Die Ferne dient der Boßheit nicht zum Schilde.
Der Schatten läßt das Licht
Die Kwaal den Thäter nicht /
Und Rache folgt biß an das Ziel der Erden.
Ein Geist macht ihm durch Felsen Riß' /
Und Bösen muß ein Paradiß
Zur Hell / ein Blumen-thal zur Schinder-Grube werden.
Wiß aber: Daß die ungeheure That /
Für der der Mond erbleicht / die Geister sich erröthen /
Da du durch Schiffbruch dich die Mutter mühst zu tödten /
Mich aus der Grufft hieher getaget hat.
Allein umbsonst! Die rinnenden Chrystallen /
Sind zu Vertunckelung so grimmer That zu rein.
Die See kan nicht so kalt / als deine Seele seyn /
In der nur Gifft muß statt des Bluttes wallen.
Die Welle treibt an Hafen sie /
Die durch Betrug im Schiffe Schiffbruch leidet.
Auf! Falle für ihr auf die Knie /
Eh als Verzug dir Gnad und Gunst abschneidet.

Doch ach! zu späth. Erschreckliche Gestalt!
Verwandeln sich die Oel-Bäum in Zipreßen?
Dis Lusthauß wird der Schlangen Auffenthalt /
Ich sehe schon den Käyser Drachen fressen.
Die Erde bricht / der Abgrund kracht /
Seht: Wie die Wolken ihm nach Haupt und Zepter blitzen.
Wer ihm den Himmel unhold macht
Den kan kein Lorber-Krantz nicht für dem Donner schützen.

Nero. Paris. Anicetus. Die Trabanten.

NERO.

Hilf Himmel! ich erstarr! ich zitter! ich vergeh!
Wo bin ich? Himmel hilf! im Abgrund? in der See?
In einer Todten-Grufft? umbschrenckt mit tausend Schlangen?
Mit Aeßern überlegt? Von Tigern rings umbfangen?
Von Blitz und Keil gerührt? und gleichwol im Gemach?
Lebendig? Träumet mir? Trabanten! Wer durchbrach
Das Zimmer mit Gewalt?

1. TRABANT.

Wir haben nichts vernommen.

NERO.

Ist nichts euch zu Gesicht / auch nichts zu Ohren kommen?

2. TRABANT.

Das minste nicht. Der Hoff ist schon fürlängst zur Ruh.

NERO.

Ihr Götter! ach! was bringt uns Paris neues zu?

PARIS.

Durchlauchtigster / nichts Gutts.

NERO.

Ists schon umb uns geschehen?

PARIS.

Nein! Wo nur Nero weiß die Segel recht zu drehen.

NERO.

Was ists denn? Sag es bald? ach! aber wir sind hin!

PARIS.

Der Schiffbruch hat gefehlt / es lebet Agrippin.

NERO.

Und Nero / leider! muß nun sterben und versincken /

Eh als Aurora wird der braunen Sonne wincken!

PARIS.

Verzweifelt Unheil krigt durch Aufsicht oft noch Rath.

NERO.

Sag aber: Wie sich so das Spiel verkehret hat.

PARIS.

Als sich das Schiff zertheilt / ist sie ans Land geschwommen.[112]

NERO.

Woher hastu bereit die raue Post vernommen?

PARIS.

Die gantze Gegend ist voll Lermen / und erweckt.

Ich weiß nicht / wer so bald den Schiffbruch hab entdeckt.

Das Ufer ist voll Volck / die See voll kleiner Nachen /

Der Fackeln Vielheit kan die Sternen tunckel machen.

Viel wateten ins Meer / und reichten ihr die Hand.

Nun Agrippinen itzt geholffen ist ans Land /

Erklingt Gebirg und Luft von hellen Lust-gethönen /

Man siht die Hügel sich mit Freuden-feuern krönen.

Den Tempeln rennet zu des Pöfels gröster Theil /

Und sagt den Göttern Danck für Agrippinens Heil.

NERO.

Für unsers Niemand nicht! ach leider! Dise Stunde

Geneset Agrippin / und Nero geht zu Grunde.

Ein Traum / wo nicht ein Geist weissagte die Gefahr.

ANICETUS.

Fürst / Agerinus ist von Agrippinen dar.

NERO.

Hilf Himmel! auch versehn mit viel geharnschten Scharen?

ANICETUS.

Ich merckte keine nicht / die ihm zu Dinste waren.

NERO.

Was sol die Botschafft wol uns von ihr bringen bey?

ANICETUS.

Nichts / als daß Agrippin in Hafen kommen sey

NERO.

Gesund und unverletzt?

ANICETUS.

Sie hat allein empfunden

Durch eines Ruders Streich ein Merckmal einer Wunden.

NERO.

Entschwam sie uns zur Straff alleine diser Noth?

ANICETUS.

Nein! Aceronie und Plautus sind nur todt.

NERO.

Weiß die Verruchte sich so alber noch zu stellen?

Ja / leider! ja! sie sucht durch Einfalt uns zu fällen /

Und thut: als wüste sie des Schiffbruchs Ursprung nicht /

Biß unsre Sicherheit uns Halß und Zepter bricht.

Sie wird bald bey uns seyn / nicht ihre Rache fristen /

Den Pöfel wafnen aus / die Sclaven auf uns rüsten /

Das ihr geneigte Heer mit Aufruhr stecken an.

Ja wo sie nur nach Rom zum Rathe kommen kan /

Dem Volcke machen weiß: Wie sie die Wund empfangen /

Wie es beym Schiffbruch ihr erbärmlich sey ergangen /

Daß ihre Freind allein umbkommen in der Flutt;
So kostet leider es uns Zepter / Ehr und Blutt.
Der Rath wird uns verschmähn / der Pöfel uns verfluchen /
Rom ihm ein neues Haupt aus frembdem Stamme suchen.
Ich fühl es: Schmach und Todt ist näher uns als nah?
Eilt / weckt den Burrhus auf / berufft den Seneca.
Ihr Götter! ach! wer steht mehr auf des Käysers Seiten?
Ist jemand mehr behertzt für unser Heil zu streiten?
So schaffe Paris an: Daß man die tolle Schaar /
Die umb die Käyserin so sehr geschäftig war /
Und in der Gegend sich durch ungewohnte Flammen
Und thörchte Gottesfurcht aufrührisch zeucht zusammen /
Zerstreut werd / eh als sie gar zu den Waffen greift /
Und auf des Käysers Halß so Grimm als Klingen schleift.
Ach / aber / ach! umbsonst / die Rache wird uns fällen /
Eh als der Käyser sich kan in Verfassung stellen.

Nero. Burrhus. Seneca. Anicetus.

BURRHUS.

Was für Erschrecknüs ficht den Geist des Käysers an?

NERO.

Ach leider! Burrhus / ach! es ist umb uns gethan!

SENECA.

Man muß beym Sturme nicht das Hertze fallen lassen.

NERO.

Wol / wenn die Wirbel schon den morschen Nachen fassen.

BURRHUS.

Der Käyser meld uns doch den Uhrsprung seiner Kwal.

NERO.

Die Mutter schleift auf uns den Rachbegiergen Stahl.

SENECA.

Wer hat des Käysers Hertz mit solcher Post erschrecket?

NERO.

Der Geist Britannicus hats leider uns entdecket.

BURRHUS.

Gespenste sind ein Traum / und Träume sind ein Wind.

NERO.

Der Außschlag leider! weists / obs schlechte Träume sind.

SENECA.

Was hat für Außschlag sein Erschrecknüs denn bekommen?

NERO.

Die Mutter / die man wolln ersäuffen / ist entschwommen.

BURRHUS.

Gesätzt / sagt: Was ein Weib dem Käyser schaden kan.

NERO.

Viel / leider! Denn halb Rom / hängt Agrippinen an.
Die gantze Gegend ist für ihre Wolfarth wache.
Und krigt sie so viel Luft; Daß sie das Volck zur Rache
Durch ihre Thränen bringt / daß sie in Rom erzehlt /
Wie unser Anschlag uns / der Schiffbruch sie gefehlt /
Wie sie die Wunde krigt / wie ihre Freund umbkommen /
So ist den Augenblick uns Reich und Geist benommen.

SENECA.

Ein wachsend Ubel darf geschwinden Widerstand.

NERO.

Des Käysers Heil und Reich beruht in eurer Hand.

BURRHUS.

Forscht Seneca von mir / was hier sey zu erwehlen?

SENECA.

Läßt ihre Tödtung sich der Leibwach anbefehlen?

BURRHUS.

Weiß dise Flamme nichts zu läschen als ihr Blutt?

SENECA.

Man tödte diesen Wurm eh als ers selber thut.

BURRHUS.

So grimme Rach ist nicht von Müttern zu vermutten.

SENECA.

Die Rache siht mit Lust auch Kinder-Köpffe blutten.

BURRHUS.

Sie würde durch dis Blutt sich stürtzen und ihr Hauß!

SENECA.

Die Rache gleicht der Glutt / die gerne leschet aus /

Wenn sie dis / was sie nehrt / nur kan in Asche kehren.

BURRHUS.

Wie könt ein grimmes Weib so holden Sohn gebehren?

SENECA.

Die Erd ist kalt und todt dar / wo sie Gold gebiehrt /

Weil die Natur ihr Marck zu einer Ader führt:

Daß sie die Kräuter nicht mit Safte kan betheilen.

BURRHUS.

Die Wunden lassen sich mit Messern übel heilen.

SENECA.

Sie heiln / wenn Salbe nicht dem Krebse steuern kan.

BURRHUS.

Man wende noch einmal der Sanftmuth Pflaster an.

SENECA.

Der Fürst hat sie auf sich durch Sanftmuth nur verhetzet.

BURRHUS.

Welch Sohn hat seine Faust durch Mutter-Blutt genetzet?

SENECA.

Der Clytemnestre Blutt klebt an Orestens Stahl.[113]

BURRHUS.

Durch sie ward vor entseelt sein Vater / ihr Gemahl.

SENECA.

Ich sehe dis und mehr an Agrippinen kleben.

BURRHUS.

Wer hat der Eltern Schuld den Kindern untergeben?

SENECA.

Die Fürsten richten sie als Götter dieser Welt.

BURRHUS.

Wer hat sonst als Orest solch Urtheil je gefällt?

SENECA.

Alcmæon tödtet' auch die Mutter Eriphyle.[114]

NERO.

Ich sorge: Daß man hier mehr als gefährlich spiele
Durch langsamen Bedacht. Oft nützt ein kluger Rath
Nicht / was ein schneller Schluß und eine kühne That.

SENECA.

Die Schlange die man tritt / die muß man gar ertretten.
Gesätzt: Daß wir sie nicht zu tödten Uhrsach hetten /
So heischts des Reiches Noth / und unsers Käysers Heil.
Die zu beschirmen / muß jedwedes Blutt sein feil.

BURRHUS.

Da sie denn sterben soll / wer wird den Muth ihm fassen?
Kein Kriegs-Knecht wird hierzu sich sicher brauchen lassen /
Das gantze Läger siht aufs Käysers gantzes Hauß /
Und des Germanicus Gedächtnüs läscht nicht aus /
Auch nicht des Heeres Hold zu seines Stammes Zweigen /
So lange sich der Rhein wird für den Adlern neigen /
Die er so hoch erhob. Dem Anicet steht zu:
Daß er diß / was er hat versprochen / würcklich thu.

ANICETUS.

Ich hab es auf Befehl zu wagen kein Bedencken.

NERO.

Du wirst uns durch dis Werck das Reich aufs neue schencken /

Und diser Tag wird seyn der andre meiner Lust /

Der erste meiner Ruh. Dir selbst wird seyn bewust

Wer am bekwämsten sich dir zu Gefährten schicke.

Auf dieser That beruht mein Unheil und Gelücke /

Das deine wächst hieraus.

ANICETUS.

Das Werck sol Lehrer seyn:

Was Fleiß und Treue kan. Jedoch es fällt mir ein

Ein Mittel / disen Weg so scheinbar zu beblümen:

Daß Rom und alle Welt der Mutter Todt wird rühmen.

SENECA.

Eröffne / was es sey.

ANICETUS.

Der Käyser gebe nach:

Daß Agerin erschein ins Fürstliche Gemach /

Umb / was die Mutter ihm befohln hat / zu entdecken.

Nach disem wil ich ihm sein mühsam zuzustecken

Hier diesen giftgen Dolch. Denn dringe man auff ihn /

Und forsche: Was er hab entschlossen zu vollzihn;

Ob auf des Käysers Brust die Spitze sey vergiftet /

Ob ihn zum Meuchel-Mord die Mutter angestiftet?

Ob er viel lieber nicht von der verdienten Pein

Durch frey Bekäntnüs sich vermeine zu befreyn /

Und scheue sich nicht dir zu Libe fürzugeben:

Daß Agrippinens Faust an ihrem eignen Leben /

Nach offenbarter Schuld / zum Hencker worden sey;

Als daß der Hencker ihm die Glieder reiß entzwey /

Und blaue Schwefel-Flutt ihm auf die Brüste regne.

NERO.

Dein Vorschlag ist belibt. Des Himmels Gütte segne

Das dir vertraute Werck. Geh führ ihn stracks herein /

Und meld ihm: Daß wir ihn zu hören schlüssig seyn.

L. Agerinus. Nero. Burrhus. Seneca. Anicetus.

Die Trabanten. Die Nachrichter.

AGERINUS.

Durchlauchtigst-grosser Fürst / ich sol erfreut entdecken:

Daß Agrippinens Fall und unverhofft Erschrecken

Zur Kurtzweil worden sey. Sie schöpfft itzt Luft und Ruh /

Und zeucht der schwachen Seel Erfrischungs-Athem zu.

Und ob sie zwar verlangt des Käysers Hand zu küssen /

Und selbst ihm zu erzehln / wie sie der Noth entrissen

Durchs Himmels Beystand sey; So wünscht sie doch durch mich:

Der Käyser wolle nicht so gar geschwinde sich

Sie zu besuchen mühn. Sie wil sich selbst einfinden /

So bald die Mattigkeit der Glieder wird verschwinden /

Des Hertzens Furcht vergehn.

NERO.

Wir hören hoch vergnügt /

Daß der Frau Mutter Glück ihr Unglück überwigt;

Und wünschen ferner ihr Gesundheit / Heil und Leben.

Meld aber / wie sich denn der Unfall hat begeben.

AGERINUS.

Als ihre Majestät der Mutter sich entbrach /

Begab sich Agrippin an Seestrand kurtz hernach /

Betrat ihr fertig Schiff / und ließ die Segel flügen /

Die fernen Ufer flohn / wir sahn schon Baje ligen /

Des Himmels Jaspis war durchstickt mit Stern und Gold /
Der weisse Monde glamm / der Westwind war uns hold /
Die See stand als gefrorn und stiller als Chrystallen;
Als unversehns das Schiff fängt hinten einzufallen /
Und durch sein bleyern Dach den Creperej erschlägt.
Nach diesem wird das Theil / das Agrippinen trägt /
Zerschmettert von sich selbst / wie wenn der Nordwind wüttet /
Und Aceronie nebst ihr ins Meer geschüttet.
Die erste trinckt alsbald so viel des Wassers ein:
Das Silber muß ihr Todt / Saffier die Baare seyn.
Der Mutter aber scheint die See sich zu erbarmen.
Sie theilt die sanfte Flutt durchs Ruder ihrer Armen /
Die Hoffnung ist ihr Schiff / der Götter Gunst ihr Wind /
Durch welcher Hülffe sie biß an den Strand entrinnt.
Von da läst sie / die sich nicht mehr zur See wil wagen /
An der Lucriner See sich auf ihr Vorwerck tragen.

NERO.

Wem mißt die Mutter denn des Schiffbruchs Uhrsprung bey?

AGERINUS.

Sie urtheilt: Daß ihr Fall ein bloßer Zufall sey.

NERO.

Scheint Agrippine nicht auf uns Verdacht zu fassen?

AGERINUS.

Sie hat ihr nimmermehr den Argwohn träumen lassen.

NERO.

Was eusert sie sich denn für unserm Angesicht?

AGERINUS.

Ein matter Leib verlangt mehr Finsternüs / als Licht.

NERO.

Ist nichts nicht / was sie sonst von uns zu thun begehre?

ANICETUS.

Hilf Himmel! Was entfällt dem Mörder für Gewehre?

NERO.

Verräther! wie? woher kommt solch Verräthrisch Stahl.

AGERINUS.

Ihr Götter! bin ich todt? trifft mich ein Donnerstrahl?

ANICETUS.

Eröffn es: Worzu sol solch Meuchel-Mördrisch Eisen.

AGERINUS.

Man muß: Daß ichs hieher gebracht / mir vor erweisen.

ANICETUS.

Wie? Wilstu / Schelme / dis / was Sonnen-klar / umbstehn?

AGERINUS.

Solch Schelm-stück nimmermehr / und solt ich stracks vergehn.

ANICETUS.

Der Dolch ist zweifelsfrey vom Himmel nicht gefallen.

AGERINUS.

Solch Einwurff kan mir nicht mehr schaden / als euch allen.

ANICETUS.

Verneinstu: Daß der Dolch dir aus den Kleidern fiel.

AGERINUS.

Es findt sich leicht ein Stock / wenn man wen schlagen wil.

NERO.

Trabanten / Fässel her! Schlüßt ihn in Band und Ketten.

AGERINUS.

Der Himmel wird daraus die Unschuld schon erretten.

NERO.

Gab Agrippine dir so grimmen Anschlag an?

AGERINUS.

Ich starre! Daß man mich auf sie befragen kan.

NERO.

So hastu von dir selbst solch Mordstück fürgenommen?

AGERINUS.

Kein Mordstück ist mir nie nicht in Gedancken kommen.

NERO.

Verräther / sol die Pein die Warheit pressen aus?

AGERINUS.

Die Unschuld wird bestehn auch unter Flamm und Graus.

NERO.

Bringt Schwefel / Pech / laßt ihn zergliedern und verbrennen.

AGERINUS.

Ich werde dennoch nichts Verräthrisches bekennen.

NERO.

Verstockter Hertzen Trotz fällt durch die Marter hin.

AGERINUS.

Der rechte Himmel weiß: Daß ich nicht schuldig bin.

ANICETUS.

Ein frey Bekäntnüs weiß auch Laster rein zu brennen.

AGERINUS.

Wer frey von Lastern ist / darf keine nicht bekennen.

NERO.

Wo Agrippine dich erkaufft hat / seystu frey.

AGERINUS.

Glaubt: Daß die Redligkeit nicht zu erkauffen sey.

ANICETUS.

Oft läßt der Redlichste sich durch Beredung leiten.

AGERINUS.

Nicht sorge: Daß mein Fuß wird auf dem Eise gleiten.

NERO.

Wie? Daß dein Leugnen so für Agrippinen ficht.

AGERINUS.

Wen eigne Tugend schützt / der darf Verfechtens nicht.

ANICETUS.

Du kanst noch Ruhm und Lohn für dein Bekäntnüs krigen.

AGERINUS.

Aufrichtigkeit läßt sich durch Gaben nicht besigen.

NERO.

So siege Kwal und Schimpf und Hencker über dich!

Bringt Flamme / Foltern her.

AGERINUS.

Kein Hencker schrecket mich.

NERO.

Spannt den Verräther an; braucht Messer / Pech und Kertzen.

AGERINUS.

Kein rein Gemütte fühlt des Leibes herbe Schmertzen.

NERO.

Sätzt ihm noch schärffer zu. Träufft Schwefel auf die Haut.

AGERINUS.

Der leidet mit Gedult / wer auf die Tugend baut.

NERO.

Fahrt fort! und reißt den Leib des Bösewichts zu Stücken.

AGERINUS.

Der Hencker kan den Leib / die Seele nicht erdrücken.

NERO.

Hat der Verteufelte denn kein empfindlich Glied?

AGERINUS.

Auf reine Glider ist der Grimm umbsonst bemüht.

NERO.

Laßt ihm zerschmoltzen Ertzt auf Lipp und Zunge flüßen.

AGERINUS.

Ja! Daß sie nur von sich nichts falsches reden müssen.

ANICETUS.

Nun hastu hohe Zeit / sonst ists umb dich geschehn.

AGERINUS.

Ihr werdet durch den Leib eh / als mich unrecht / sehn.

NERO.

Er ist durch Zauberey für aller Kwal verwahret.

AGERINUS.

Welch Blutthund / welch Tyrann hat jemals so gebahret?

ANICETUS.

Ritzt ihm das Fuß-brett auf / schaut ob er blutten kan

AGERINUS.

Es bluttet! Schaue nun der Unschuld Purper an.

NERO.

Es sol ein grösser Strom bald deinen Nacken färben.

AGERINUS.

Wol dem / der durch sein Blutt kan so viel Ruhm erwerben

NERO.

Schlagt ihm den Schedel ab / und legt ihn uns zu Fuß.

Vollzihe du alsbald den vorgemachten Schluß.

Reyen

Der Libe; Der Zeit; Der Ehrsucht; Des Todes.

DIE LIBE.

Du güldnes Licht und Auge diser Welt /

Der Monde borgt sein Silber zwar von dir;

Du aber Gold; Saffier des Himmels Zelt /

Die Sternen Oel / die Erde Geist von mir /

Die Schnecke Blutt / die See Perl' und Korallen /

Die Kräuter Safft / die Felsen Berg-Chrystallen.

Lernt nun / was ich für eine Göttin bin /
Mein Tempel ist Lufft / Himmel / Erde / Flutt.
Ja die Natur selbst ist die Pristerin /
Die Schönheit Zunder / die Begierde Glutt /
Der Anmuth Blitz steckt die geweyhten Kertzen
Der Sinnen an / das Opffer sind die Hertzen.

Mein Saame wird geflößt den Seelen ein /
Eh als in Mund der Brüste Milch-Kwäll rinnt.
Mein Brand erweicht der Hertzen Kiselstein /
Wo Zeit und Tod zu stumpffe Feilen sind.
Wer widerspricht nun? Daß man mir mit Rechte
Die Lorberzweig' umb meine Myrten flechte?

DIE ZEIT. DER TOD.

Die Libe mißt ihr hoch-vermässen bey
Der Gottheit Krafft / den Zepter aller Welt.
Die Zeit / der Tod bricht alles morsch entzwey /
Was die Natur / was Liben in sich hält;
Vom Abgrund an biß übers Monden Gräntzen
Siht man der Zeit / des Todes Sichel gläntzen.

DIE LIEBE.

Braucht / wie ihr wollt / die Armen eurer Krafft
Laßt euren Zorn an morschen Wipffeln sehn.
Genung! Daß ihr nichts an den Zedern schafft /
Die nur durch mich wol eingewurtzelt stehn.
Denn nichts nicht / was mein Lorber-Schatten decket /
Wird durch den Blitz / durch Zeit und Tod erschrecket.

DIE ZEIT.

Die Zeit verzehrt nicht nur Ertzt und Porfier /
Der Himmel schrumpfst durch sie für Alter ein.
Flutt / Glutt und Wurm dient zur Vertilgung mir /

Der Sterne Gold wird durch mich blaß und klein.[115]
Wie solte denn für meiner Flügel Stürmen
Die Libe sich seyn mächtig zu beschirmen?

DER TOD.

Der Erd-Kreiß ist der Schauplatz meiner Macht.
Was Zeit und Mensch geseet hat / erndt ich ein.
Mir ist der Lentz oft Herbst / der Mittag Nacht /
Niemanden schützt Gold / Purper / Insel / Stein.
Wie solten denn der Libe Spinnen-weben
Genugsam Schirm für meine Pfeil abgeben?

DIE LIEBE.

Wenn Tod und Zeit und Ehrensucht und Pein
Der Unschuld Mast / der Seelen Schiff bekämpfft /
Muß ich der Port / der Schild / der Ancker seyn.
Des Neides Dunst wird durch mein Licht gedämpfft /
Den Rauch der Zeit theiln meiner Fackeln Flammen /
Mein güldner Pfeil des Todes Strick vonsammen.

DIE ZEIT.

Ohnmächtge Glutt und Fackel deiner Hand!
Kein Blick verstreicht / dein lodernd Wachs nimmt ab.
Dein Tacht verglimmt / dein Oele rinnt in Sand /
Dein Brutt die Asch ist selbst der Flammen Grab.
Ist auch gleich noch dein Zunder unverzehret;
Schau: Augenblicks wird Strahl in Staub verkehret.

DIE LIEBE.

Die Zeit versehrt der Liebe Zunder nicht;
Ob sie die Glutt gleich außen dämpffen kan.
Die Liebe krigt zweyfache Flamm und Licht'
Oft / wenn man sie am hefftigsten sicht an. »
Und wenn die Nacht den Himmel schwartz wil mahlen /
So siht man ihn mit tausend Ampeln strahlen.

DER TOD.

Ohnmächtger Pfeil! ein fauler Sterbens-hauch /
Verkehrt das Gold der Lieb in weiches Bley.
Ihr Sonnenschein wird in dem Sarche Rauch: wo
Mein dürrer Arm bricht Pfritsch und Pfeil' entzwey:
Und das Geschoß / was meine Faust zerbrochen /
Gibt Brennholtz ab für dürre Todten-Knochen.

DIE LIEBE.

Zerbricht der Tod der Sinnen Pfeile gleich;
Wird schon mein Strahl in todten Glidern kalt;
So ist der Leib doch nicht mein Sitz und Reich.
Die Seelen sind des Libens Aufenthalt.
Verweset schon der Cörper in der Hölen;
So lebt die Lib unsterblich in der Seelen.

Der Wind blaßt auf die schon halb-todte Glutt
Oft / wenn er sie gar außzuleschen meint.
Stürmt Tod und Zeit auf Agrippinens Blutt /..
Siht man: Daß sie mit neuen Strahlen scheint;
Die Wolcken / die der Neid hat aufgezogen /
Verwandeln sich in holde Regenbogen.

DIE ZEIT. DER TOD.

Solln Wasser-Galln itzt Regenbogen seyn?
Des Käysers Gunst ist nur gemahlte Flutt.
Ist außen gleich sein Antlitz Sonnenschein /
So wird doch bald sein Hertze regnen Blutt.
Denn gläntzt ein Stern mit ungemeiner Röthe;
So ists gewiß ein schädlich Blutt-Comete.

DIE EHRSUCHT.

Räumt / Schwestern / mir der Libe Kampff-platz ein /
Weil sie so sehr für Palm und Sigs-Krantz sicht 1
Jedoch wird sie selbst so bescheiden seyn;

Wo ihr nicht Witz und kluger Rath gebricht:
Daß sie für mir wird ihre Segel streichen /
Ihr Abendlicht nur Sonne nicht vergleichen.

DIE LIEBE.

Versucht nunmehr auch dieser Seiden-Wurm
An meinem Ruhm und Purper Zahn und Heil?
Allein ein Felß verlachet Well und Sturm.
Sein Blitz ist mir ein gläsern Donner-Keil.
Die Lieb ist recht der Ehrsucht Gifft nennen;
Ihr Feuer kan kein libend Hertz verbrennen.

DIE EHRSUCHT.

Die Ehrsucht ist der Libe Gift vielmehr.
Diß tödtete der Sophonißben Brunst.
Kein Mutter-Hertz / kein Bruder libt so sehr /
Ich kehr in Eiß und Galle Flamm und Gunst /
Und: Daß ich kan aus Blutte Purper färben /
Mag Kind und Freund durch Aderlassen sterben.

DIE LIEBE.

Die Pflantze / die ein Mühlthau stracks versängt /
Muß niemals recht beklieben seyn gewest.
Ich weiß: Daß / wo ein Geist mein Feuer fängt /
Mein Brand sich nicht vom Hertzen tilgen läßt.
Denn Libe pflegt des Zepters und der Würden /
Daß er sein Ziel erlangt / sich zu entbürden.

DIE EHRSUCHT.

Kein Kind legt mehr aus Libe Zepter ab.
Itzt lacht die Welt der Einfalt erster Welt.
Kommt durch Verdacht nicht Agrippin ins Grab?
Weil Nero sie für herrschens-süchtig hält.
Sein Stamm-Baum fällt durch meinen Blitz zur Erde:
Daß nicht sein Thron von ihm beschattet werde.

DIE LIEBE.

Du eignest dir der Libe Würckung zu?
Versichre dich: Daß dis dein Irrlicht nicht /
Nein! nur Poppe' und Nerons Liebe thu.
Denn Sonnenschein entfärbt des Monden Licht;
Und Libe wird zwar wol von grösserm Liben;
Nicht aber durch der Ehrsucht Dunst vertriben.

DIE EHRSUCHT.

Hat dich mein Arm so zu Verzweiflung bracht?
Daß du entlehnst aus Schmincke Schönheit dir?
Solch Liben ist die Larve meiner Macht.
Dreh itzt dein wahres Antlitz nur herfür.
Mein Rach-Schwerdt steckt in deiner Anmuths-Kertzen /
Und Gall und Gift in deinem glimmen Hertzen.

DIE ZEIT. DER TOD.

Verfluchter Sieg! Solch Engel-schönes Bild
Wird zäuberisch in Schlang und Wurm verkehrt?
Kan Ehrensucht mehr als ein Gorgons-Schild?
Auf Zeit / und Tod! Sie ist des Siegs nicht werth.
Die Rache muß den Hochmuth diser Zirzen
Durch unsre Pfeil in Schmach und Abgrund stürtzen.

Die fünfte Abhandlung.

Der Schauplatz bildet ab der Agrippinen Schlaff-Gemach.

Agrippina. Sofia.

AGRIPPINA.

Bestürtzte Trauer-Nacht! Du Abbild meines Hertzen /
Das bange Todes-Angst und blaße Sorgen schwärtzen!
Ists Warheit / oder Traum / ists Schatten / Dunst und Wind /
Daß wir der Schiffbruchs-Noth behertzt entronnen sind? >
Was aber beben so uns Glieder / Mund und Lippen?
Mein wallend Hertze stürmt auf diese Marmel-Klippen!
So / wie die stürme See an felsicht Ufer schlägt.

SOFIA.

Durchlauchtigste / wenn sich gleich Sturm und Wetter lägt /
So stillt sich doch nicht bald die Kräuselung der Wellen;
So pflegt auch Furcht und Angst im Hertzen aufzuschwellen /
Wenn man im Port gleich ist / wenn schon die Noth vorbey.

AGRIPPINA.

Ach! Daß solch Port uns nicht mehr als ein Strudel sey.
Einfältge! Lasse nicht itzt Wind und See entgelten /
Was ein Verräther that. Du must den Nero schelten
Mein Basilißken-Kind / die Schlange / welche sticht /
Wenn ihr der Anmuths-Blitz aus ihren Augen bricht /
Wenn Welle / Flutt und Luft den grimmen Eifer stillen /
So regt die Unruh doch den Umb-kreiß seines Willen /
In dem der Mittel-Punct nur herbe Schälsucht ist /
Der Wirbel Ehren-Durst. Wie scheinbar ward versüßt
Die Wermuth seines Grimms durch Zucker falscher Küße!

Ja recht! So macht man Gifft mit scheinbarn Würtzen süsse!
Sein Mund war statt der Gunst / vom Schamröth angefärbt.
Als er den Kuß uns gab. Wird er nun nicht erherbt
Mehr als ein Tiger seyn / dem Reh und Raub entspringet /
Nun ihm auf meinen Tod sein Anschlag mißgelinget?
Ach / leider! Ja / es sagt uns unser Hertze wahr:
Der Schwefel brenne schon / der auf dem Rach-Altar
Der grimmen Tyranney sol Fleisch und Blutt verzehren / so
Das seine Mutter ihm zum Opffer muß gewähren.

SOFIA.

Das Wunder ihres Heils gibt sattsam Zeugnüs ab:
Daß ihr des Himmels Hold selbst einen Schutzherrn gab.
Wer aber sich nur darf auf disen Ancker gründen /
Der segelt ohne Schiff auch sicher in den Winden.

AGRIPPINA.

Nein! mein Gewissen selbst versagt mir allen Trost /
Die Götter sind erzürnt / der Himmel ist erbost /
Die Wolcken hecken Blitz / der Abgrund kaltes Eisen
Auf mein verdammtes Haupt. Die eignen Thaten weisen
Mir diesen Rechnungs-schluß: des Meeres Sanftmuth sey /
Daß es mich nicht ersäufft / nur milde Tiranney;
Die Rache habe mich zu mehrer Kwal erhalten.
Sihstu die Schatten nicht erschrecklicher Gestalten?
Mein ängstig Hertze würckt in die Tapeten ein /
Diß stumme Marmel sagt: Was meine Thaten seyn.
Hier nechst steht angemahlt / wie mein halb-viehisch Liben
Mit Sohn und Bruder hat unkeusche Lust getriben /[116]
Wie ich des Pallas Hold erkaufst umb tolle Brunst /
Des Vettern Bett und Thron durch ärgste Zauber-kunst /[117]
Die Gunst des Seneca durch Unzucht überkommen.[118]
Dort: Daß ich dem Silan erst seine Braut genommen /

Hernach auch Stadt und Geist / indem mein Heyraths-Fest
Die Hochzeit-Fackel ihm zu Grabe leuchten läßt.
Ich sehe Lollien /[119] die ohne Schuld gestorben /
Weil sie sich hat nebst mir umbs Käysers Hold beworben.
Schaustu's / hier schwebet ihr aus Neid ent-seelter Geist /
Schaut! wie sie meiner Schuld die bluttgen Brüste weist.
Statilius verflucht die Anmuth seiner Gärthe /[120]
Für die ich einen Dolch zum Kauffgeld ihm gewehrte /
Dort webt die Spinne mir die Mordthat übers Haupt /
Wie ich dem Claudius durch Schwämm und Gift[121] geraubt
Das Leben / und das Reich; Wie ich des Erbtheils Krone /
Durch des Britannicus Verkürtzung / meinem Sohne
Durch Arglist zugeschantzt. Itzt leider! krigen wir
Schmach / Unhold / Untergang / den rechten Danck dafür.

SOFIA.

Welch Wahn verführet sie in diesen Irrgangs-Schrancken?
Sie bilde tumme Träum ihr nicht in die Gedancken.
Gesunde Sinnen sind von falscher Bländung frey.

AGRIPPINA.

Mein schuldig Hertze weiß: Daß es die Warheit sey.

SOFIA.

Sie hat zum Richter den / der ihre Milch gesogen.

AGRIPPINA.

Mein Sohn hat Gift / nicht Milch mir aus der Brust gezogen.

SOFIA.

Der Mutter schadet nicht der Schlange giftig Hauch.

AGRIPPINA.

Die Rache läscht den Durst aus eignen Adern auch;
Die haben / die durch mich so hoch ans Brett sind kommen /
Ihn selbst verzaubernde mit Wahnwitz eingenommen:
Daß meiner Pfeiler Grauß das Füßwerck müsse seyn /

Zu seinen Ehren-Säuln: es könte nur allein
Ins Demant-Buch der Zeit mein Blutt Sein Lob einpregen:
Mein Leben sey sein Tod / mein Untergang sein Segen.
Hat auch gleich so vielmal sein Fall-Brett uns gefehlt /
So wird sein Hertze doch / das Rach und Eifer kwält /
Nicht ehe ruhig seyn / biß Agrippinens Leiche
Erkwickenden Geruch der Mord-Begierde reiche.
Ich weiß: sein Hertze kocht schon neue Gall und Gifft /
Nachdem ich der Gefahr des Schiffbruchs bin entschifft.
Solt er / wär er ein Mensch / nicht giftiger als Schlangen /
Mit Glückes Wünschungen die Mutter nicht empfangen?
Den Tempeln eilen zu / weil ich der Noth entran /
Den Göttern sagen Danck und Weyrauch zünden an?
Ach aber! Nein! er spinnt uns neue Todes-Stricke!
Warumb blieb Agerin so lange sonst[122] zurücke /
Als: Daß er uns nicht sol eröfnen die Gefahr /
Die unsrer Seele dreut. Itzt ist die Stunde dar
Die mein Verhängnüs hat den Sternen eingeschrieben /
Eh als mein Lebens-Kwäll im Hertzen ist beklieben.
Diß ist der Tag / auf den der Tod mich hat betagt /
Wie der Chaldeer Witz uns leider! wahrgesagt.[123]
Wir haben selbst den Spruch willkührlich übernommen:
Er tödte / wenn er nur kan an den Gipffel kommen
Des grossen Käyserthums. Jedoch was zittern wir
Für banger Todesfurcht? Laß / Agrippine / dir
Für der Enteusserung der Sterbligkeit nicht grauen.
Viel besser einmal falln / als sich stets gleitend schauen.
Die Angst / die Sterbens-Furcht ist herber als der Tod.
Er ist der Menschen Sold und der Natur Geboth.
Hilf Himmel! hör ich nicht das Vorgemach durchbrechen?
Mein Hertze scheinet selbst den Halß mir abzusprechen.

Die Mordschaar nähert sich dem Zimmer mit Gewalt.
Wacht Niemand nicht umb uns / der Lohn und Unterhalt
Von Agrippinen krigt? Wo sind die Deutschen Schaaren /
Die Agrippinens Leib zu schützen mühsam waren /
Als uns das Glücke fehlen? Verrücktes Spiel der Zeit!
Mein vor belibt Gemach wird itzt zur Einsamkeit
Und öder Wüsteney. Lernt nun: Wie schwanckend sitzen
Die / derer Armen sich auf frembden Achseln stützen.
Und du verlässest mich[124] in meinem Elend auch /
Untreue Sosie? Es ist der Heuchler Brauch:
Daß sie bey Unglücks-Hitz als Mertzen-Schnee vergehen.

SOFIA.

Man weicht den Bäumen aus die auf dem Falle stehen.

AGRIPPINA.

Untreue! Flüchte dich! Oft wird des Rehes Flucht
Zum Netze / wenn es sich gar wol zu retten sucht.

Agrippina. Anicetus. Herculeus. Oloaritus.

ANICETUS.

Hier ligt die Käyserin.

AGRIPPINA.

Ja / sucht ihr Agrippinen?
Im Fall du / wies ihr geht[125] zu forschen bist erschienen /
So melde: Daß sie lebt. Hastu was böses für;
So bild ich mir nicht ein: Daß unser Nero dir
Die Unthat hat befohln.

ANICETUS.

Der Außgang wird entdecken /
Wieweit sich unsre Macht / des Käysers Heisch erstrecken.

AGRIPPINA.

Ists gläublich: Daß ein Wurm die Mutter tödten kan?

Thut /was der Käyser heißt; greift Agrippinen an.

AGRIPPINA.

Mordstifter! Bösewicht! Was haben wir verkärbet?

HERCULEUS.

So viel: Daß Sonn und Mensch sich ob der That entfärbet.

AGRIPPINA.

Sagt: Was Verleumbdung uns für falsche Garne strickt.

OLOARITUS.

Hastu den Agerin zum Keyser nicht geschickt?

AGRIPPINA.

Ja / unser Ungelück und Glück ihm zu beschreiben.

ANICETUS.

Durch ärgsten Meichel-Mord den Käyser zu entleiben.

AGRIPPINA.

Verfluchte Teuffels-List! Wer hat den Fund erdacht?

HERCULEUS.

Der Meichel-Mörder selbst.

AGRIPPINA.

Der Mutter Unschuld lacht

So grimmes Schelmstück aus.

OLOARITUS.

Sein gifftig Dolch macht glauben.

AGRIPPINA.

Wolt ihr Ertz-Mörder uns auch unsern Ruhm noch rauben?

Ists ein zu schlechter Raub: Die Seele / Leib und Blutt?

ANICETUS.

Sie läßt auch sterbend spürn Trotz / Grimm und Ubermuth.

AGRIPPINA.

Sol ich bey Nattern Gunst / bey Henckern Gnade suchen?

HERCULEUS.

Du magst auf deine Schuld / nicht auf das Rachschwerdt fluchen.

AGRIPPINA.

Ein falscher Brandfleck soll der Mordthat Seiffe seyn?

OLOARITUS.

Der Ubelthäter Blutt wäscht Rach und Richter rein.

AGRIPPINA.

Kommt nicht der Blutthund selbst / der euch hieher bewogen?

Daß er hier sauge Blutt / wo er vor Milch gesogen?

ANICETUS.

Laßt der Verrätherin zu schmähen nicht mehr Lufft.

AGRIPPINA.

Ein schimpflich Prügel sol uns stürtzen in die Grufft?

ANICETUS.

Ein edler Dolch wird nur durch Weiber-Blutt entweihet.

AGRIPPINA.

Schaut: Daß der Abgrund euch entweyhte Dolchen leihet.

OLOARITUS.

Hier dieser ist bestimmt zu diser heilgen That.

AGRIPPINA.

Stoß / Mörder / durch das Glied / das es verschuldet hat /

Stoß durch der Brüste Milch! Die solch ein Kind gesäuget /

Stoß durch den nackten Bauch / der einen Wurm gezeuget /

Der grimmer als ein Drach und giftger als ein Molch!

OLOARITUS.

Diß ist der edle Stahl / der Blutt-bespritzte Dolch

Der unserm Käyser Ruh / mir höchsten Ruhm erworben!

ANICETUS.

Die Schlange dreht sich noch / sie ist noch nicht gestorben.

HERCULEUS.

Stoß das behertzte Schwerdt noch einmal ihr in Leib!

ANICETUS.

Nun ligt das stoltze Thier / das aufgeblaßne Weib /
Die in Gedancken stand: Ihr Uhrwerck des Gehirnes
Sey mächtig umbzudrehn den Umbkreiß des Gestirnes.
Hier fällt der grosse Stern; Der sich der Sonne schien
Des Römschen Käyserthumbs hochmüthig vorzuzihn /
Vom Himmel ihres Throns verächtlich zu der Erden.
Itzt lehrt sie: Daß kein Dunst doch kan zur Sonne werden.
Der Dunst der Eitelkeit werd endlich Asch und Staub /
Die Schönheit sey der Zeit / die Macht der Menschen Raub.

OLOARITUS.

Wer eilet? Daß der Fürst den Außschlag mög erfahren.
Ich eile disen Dolch in Tempel zu verwahren[126]
Des großen Jupiters. Er sol ihm heylig seyn
Auf seinem Rach-Altar.

HERCULEUS.

Der Käyser kömmt herein!

Nero. Burrhus. Seneca. Paris. Anicetus. Herculeus. Die Trabanten.

NERO.

Ist die befohlne That nach unserm Wunsch geschehen?

ANICETUS.

Hier kan der Käyser selbst die bluttge Leiche sehen.

NERO.

Eröfnet: wie euch kömmt dis schöne Schauspiel für.

SENECA.

Des Feindes Leiche gibt anmuttgen Dampf von ihr.

NERO.

Laßt uns die Eigenschaft der Wunden recht beschauen.

BURRHUS.

Mag ihrer Majestät nicht für der Todten grauen?

ANICETUS.

Ein zornig Aug ergätzt an bluttgen Glidern sich.

NERO.

Ich hette nicht gemeint: Daß solche Glider mich[127]
Solch Schnee-gebirgter Leib in sich getragen haben:
Daß solche Brüste mir die süsse Nahrung gaben.
Es scheint unglaublich fast: Daß dise Lilgen-Brust /
Der Augen Paradiß / das Zeughauß süsser Lust /
Ein so kohl-schwartzes Hertz innwendig habe stecken.
Daß der Rubinen Mund / der von den Purpurschnecken
Zur Farbe Blutt entlehnt / von Bienen Süßigkeit /
Von Rosen den Geruch / nur ein Beschönungs-Kleid
Der giftgen Schlangen sey / die in der Seele nisten.
Jedwedes Auge liß sich ihrer Schooß gelüsten /
Sein Marmel war ein Brunn / wo Durst und Lieb-reitz kwillt /
Ein Schneeberg voll mit Glutt und Anmuth angefüllt.
Allein im Liben war sie härter als Kristalle
Und kälter als das Eiß. Den Göttern hat gefallen:
Daß ihr erhitztes Blutt die Kälte lau gemacht.
wie die Morgen-röth am weissen Himmel lacht.
Zinober kwillt aus Milch / Rubin aus Helffenbeine /
Aus Alabaster Glutt / Korall aus Marmelsteine.
Die Wärmbde / die ihr itzt noch steigt aus Blutt und Wund
Hat so viel Kraft in sich: daß unser Zung und Mund
Empfinden Hitz und Durst. Reicht uns ein Glaß mit Weine.[128]
Nun aber ist es noth: Daß man mit guttem Scheine
Dem großen Rath in Rom den Zufall bringe bey:
Wie Agrippinens Schuld selbst ihr Verterben sey.

ANICETUS.

Man sprenge kühnlich aus: Ihr höchst befleckt Gewissen
Sey Gegentheil gewest; Die Hände hätten müssen
Ihr eigen Hencker seyn.

PARIS.

Dis ist kein thulich Rath.
Jedwedre Dienst-Magd kan / die sich verlauffen hat
Eröffnen: Daß sie sey durch frembde Faust erblasset.

SENECA.

Was darf die / die vorhin ist aller Welt verhasset
Mehr für Beschuldigung? Es ist genug gethan:
Streicht nur ihr altes Thun[129] mit neuen Farben an.
Wie sie den Claudius gleich als ein Kind verleitet /
Daß sie der Unschuld Straff und Elend zubereitet /
Daß sie beim Käyserthum des Nero sich bemüht
Des Käysers Haupt zu seyn / das Glücke / das itzt blüht /
Des Reiches / die Gewalt des Rathes / den Soldaten
Den Sold / des Pöfels Korn zu mindern eingerathen /
Daß sie des Heeres Theil bestochen durch ihr Geld /
Des Käysers Regiment viel Mängel außgestellt /
Den Pöfel dort und dar zu Aufruhr angefrischet /
In alle Händel sich vorwitzig eingemischet /
Daß sie Verläumbdungen stets freyen Zaum verhängt /
Den Käyser für den Brunn des Schiffbruchs außgesprengt /
Die Mord-lust habe sie auch endlich so verblendet:
Daß sie den Agerin zum Käyser außgesendet /
Der / als er Stich und Todt ihm wollen bringen bey /
Mit einem giftgen Dolch ergriffen worden sey.

NERO.

Wir loben deinen Rath. Du solst die Schrift verfassen.[130]

BURRHUS.

Wil ihre Majestät nicht auch beim Heere lassen
Die milde Hand verspürn / beim Volcke Gnad und Hold?
Durch Gaben bindet man die Götter / Stahl durch Gold.
Der Käyser wird hierdurch sie ihm so sehr verbinden:
Daß des Germanicus Gedächtnüs wird verschwinden /
Darumb das Heer biß itzt steht Agrippinen bey.

NERO.

Daß / was im Vorrath ist / des Heeres Beuthe sey.

PARIS.

Durchlauchtigst-grosser Fürst / ich muß umb die noch bitten /
Die Agrippinens Haß beym Käyser so verschnitten:
Daß ihre Unschuld hat das Elend müßen baun /
Und Rom den Rücken drehn.

NERO.

Sie mögen wieder schaun
Uns und ihr Vaterland. Der Fall der Agrippinen
Sol Lebenden zu Lust / zu Ruhm den Todten dienen.
Schreib: Daß Calpurnie / Licinius Gabol /
Itur /[131] nebst Junien die Hand uns küssen sol /
Daß sich Calvisius nach Rom mag wieder wenden.
Man sol mit höchster Pracht den Blutsverwandten senden
Paulinens Todten-Asch / und ihr aus Ertzt und Stein
Ein köstlich Grabmal baun. Etzt auch den Nahmen ein
Silanens in Porfier / die sol unsterblich leben /
Die wegen Treu und Pflicht den Geiß: hat aufgegeben

ANICETUS.

Warumb: Daß dieser Tag so gar vergessen bleibt?
Man hat viel Tage schon ins Zeit-Buch einverleibt
Als heylig / die uns gleich geringre Wolfarth brachten.

BURRHUS.

Laßt / wo nur Tempel sind / den Göttern Opfer schlachten /
Der Menschen Andacht ist der Unschuld bester Schild.
Sätzt in dem Rath-hauß auf[132] Minervens güldnes Bild /
Und Nerons sol darnebst auch seinen Stand empfangen.
Dis Fest mag alle Jahr mit Spielen seyn begangen
Das Agrippinens Haß und Arglist offenbahrt.
Der Tag / da aber sie zur Welt gebohren ward
Sol als verdammt und schwartz im Zeit-Register stehen.

NERO.

So muß der / welcher stürmt den Himmel / untergehen.
Reißt ihre Säulen umb zu Rom im Capitol.

SENECA.

Wil ihre Majestät / wie das Begräbnüs sol
Der Todten seyn bestellt / nicht auch Befehl ertheilen.

NERO.

Laßt mit der Leiche nur zu Gruft und Holtz-stoß eilen.
Schafft: Daß man sie verbrennt noch heinte dise Nacht[133]
Nur nach gemeiner Art / und sonder große Pracht.

ANICETUS.

Man kan dem / dessen Blutt die Schuld hat zahlen müssen
Leicht gönnen Flamm und Grab. Diß ist das ärgste büssen:
Daß diser Todten Grufft mit keinen Lorbern blüht /
Die ihrer Ahnen Ruhm für sich vergöttert siht.

NERO.

Nebst dir / sol Anicet ihr das Begräbnüs machen.
Trabanten tragt sie weg. Du / Burrhus / selbst wirst wachen
Und sorgen: Daß das Heer nichts thätliches beginnt:
Du aber Seneca / schreib / was sie auf ihr Kind[134]
Für Boßheit vorgehabt / warumb sie sterben müssen /
Außführlich an den Rath.

SENECA.

Wir sämtlich sind beflissen

Des Käysers Heisch zu thun.

Nero. Poppæa.

POPPÆA.

Hat Nero nun gesigt /

Entrinnt er der Gefahr?

NERO.

Mein Schatz / die Natter ligt

Und hat itzt Geist und Gift und Gallen außgeblaßen /

Darmit sie auf mein Heil begierig war zu rasen.

POPPÆA.

Klebt hier der Bestien rings-umb gespritztes Blutt?

NERO.

Nun kühlt sich in ihm ab der Ehrsucht heisse Glutt.

POPPÆA.

Ihr Schälsuchts-Reif vergeht / der unsre Libes-Blüthe

Mit falscher Anmuth weg zu fangen sich bemühte.

Itzt aber / nun nach Wunsch solch Mühlthau wird verzehrt

Seh ich: Daß iede Knofp in Blumen wird verkehrt /

Ja wenn der Glückes-Sonn ihr Licht so hoch wird steigen;

Daß sich Octaviens umbschattend Haß muß neigen

So wird erst recht der Herbst erwünschter Lust angehn /

Der Garten seiner Gunst voll güldner Aepffel stehn.

Der Wollust-Herbst wird nicht den Anmuths-Lentz verjagen /

Die Schoos wird reiffe Frucht / das Antlitz Rosen tragen.

NERO.

Der Himmel / der die Schoos der Erden fruchtbar macht /

Der bey der Nacht umb sie mehr als ein Argos wacht /

Wenn tausend Sternen sie zu schauen offen stehen /

Der bey dem Tag auf sie mehr / als auf Galatheen

Der geile Polifem / der Sonnen Auge kehrt:

Hält die geliebte Schoos der Erde wieder werth.

Die Dünste zihn empor als Säufzer der Begierden /

Und geben Spiegel ab / der unbefleckten Zierden:

Nichts minder ligt uns ob: Ihr / da dein sternend Licht /

Dein Himmel der Gestalt / dein Göttlich Angesicht

So günstig uns bestrahln / und Anmuth auf uns regnen /

Mit reiner Gegen-Gunst und Libe zu begegnen.

Und wir ermessen selbst: Daß ihr Octavie /

Die grämste dieser Welt nur noch am Lichte steh?

Alleine sie / mein Licht / wird selbst vernünftig fassen:

Daß Mutter und Gemahl sich nicht wol sicher lassen

Auf einmal richten hin.

POPPÆA.

Es heißt ein Donnerschlag

Der gleich zwey Eichen fällt. Man spar auf künftgen Tag

Nicht / was man heute kan mit einer Artzney heilen.

NERO.

Wo so viel Wunden sind / muß man die Pflaster theilen;

Das Heer ist ihr geneigt / der Pöfel fleht ihr bey.

POPPÆA.

Ein unerschrocken Hertz entwafnet alle zwey.

Die Zweig erschüttern sich / wenn solche Stämme fallen;

Und Niemand flucht dem Blitz / wenn Luft und Wolcken knallen.

Zu dem / was fragt ein Fürst nach's Pöfels Unmuth viel?

NERO.

Mein Kind / auch eine Mauß entseelt den Krocodil /

Ein schwacher Kefer thut des Adlers Eyern Schaden.

Ja / was für Schuld weiß man ihr füglich aufzuladen?

POPPÆA.

Man melde: Daß auch sie zu der verdammten That

Des Agerin / ertheilt vermaledeyten Rath.

NERO.

Ihr Einfalts-Schein läßt sich mit Arglist nicht beflecken.

POPPÆA.

Man findet oftmal Gift in Tauben-Augen stecken.

NERO.

Mein Schatz so ferne siht der blinde Pöfel nicht.

POPPÆA.

Man mißt den Monden nur zur Nacht / kein kleiner Licht.

NERO.

Wer weiß? Wie Rom noch wird der Mutter Tod empfinden.

POPPÆA.

Er kan durch lindern Weg der Gramen sich entbinden.

NERO.

Sie sage denn: Wordurch?

POPPÆA.

Er trenne sich von ihr.

NERO.

Was wendet man mit Fug für Scheidens-Uhrsach für?

POPPÆA.

Daß sie nicht fruchtbar ist.

NERO.

Rom wird dis Unrecht schelten.

POPPÆA.

Was Bürgern vor war recht / sol das nicht Käysern gelten?

Mein Licht / mein Augen-Trost / er ist zu furchtsam noch.

Er bürde von sich ab des Eyserns knechtisch Joch.

Ist dieser Mund / die Brust für Liebens-werth zu achten?

Warumb denn läßt er mich für Liebe schier verschmachten?

Wilstu / mein Auffenthalt / mein Seelen-Abgott seyn?
So lasse dir doch nicht umbsonste Weyrauch streun.
Mein Schatz / man opfert ja den Göttern nicht vergebens.
Dein Himmlisch Antlitz ist die Sonne meines Lebens /
Der Schatten deine Gunst / der Zeiger ist dein Schluß /
Nach welchem meine Zeit sein Glücke messen muß.
Wie aber: Daß dein Licht so langsam aufwerts steiget?
Und noch nicht unsrer Lust gewünschten Mittag zeiget?
Es wird die Schönheit ja für einen Blitz geschätzt /
Der Seelen Augenblicks in volle Flammen sätzt /
Ja Stein und Ertzt zermalmt / der Zunder zarter Hertzen
Ist Schwefel / fettes Hartzt / das auch von fernen Kertzen
Begierdens-Feuer fängt. Und er mein süsses Licht /
Der so viel Zeit schon glimmt / wil noch recht brennen nicht /
Und frembder Schälsucht Rauch durch helle Glutt zertrennen?
Ob diese Lippen gleich stets voller Flammen brennen /
Ob gleich die Anmuth blitzt aus dieser schwartzen Nacht
Der Augen / ob die Brust gleich Lieb und Glutt auffacht.
Wo Nebel übrig bleibt / und Schälsucht unvertrieben /
Muß wahrer Sonnenschein und unbeflecktes Lieben
Nicht Luft und Brust beseeln. Er fleucht sein süsses Ziel /
Weil er kein sauer Aug in Rom bekommen wil /
Weil er Octavien den Wurm nicht wil erherben.
Dis Thier / das in der Brunst des Liebens doch muß sterben /[135]
Liebt süsses Lieben doch. Wie daß denn dir / mein Kind /
Die Geister so erschreckt / die Sinnen eysern sind?
Kan Anmuths-Oele nicht dein Marmeln-Hertz außhölen;
So opfr ich Thränen dir / das Blutt verliebter Seelen.
Mit diesem zwingt man ja der Hertzen Diamant.

NERO.

Mein lebend Antlitz mahlt den heissen Seelen-Brand /
Mein Schatz / dir besser ab; als leichter Worte Schatten.
Man muß den Früchten ja zu reisten Zeit verstatten.
Sie ist des Käysers Gunst versichert allzu wol.

POPPÆA.

Die Gutthat / die der Werth begierger Hoffnung sol
So theuer erst bezahln / ist ein verkaufst Geschencke.
Am besten daß man nicht bey Dürstenden gedencke
Des Nectars / den man erst nach vieler Zeit gewehrt.
Wir wolln schnur stracks vollziehn was sie / mein Licht / begehrt.
Sie füge Geh zur Ruh biß an den frohen Morgen.
Wir wolln indeß für uns und ihre Wohlfarth sorgen.

Nero. Agrippinens Geist. Burrhus.
Die Trabanten. Etliche Hauptleuthe.

NERO.

So ist nunmehr gemacht der längst-erwogne Schluß:
Octavie sol fort / wo sie nicht sterben muß.
Octavie sol fort? Ja / wenn so schöne Sonnen
Geliebter Augen sind mit Thränen-Saltz umbronnen;
So zihn sie anderwerts meist Finsternüs nach sich.
Die Trauer-Wolcke schlägt / Octavie / auf dich
Den Blitz des Untergangs. Was wird sie uns gebehren?
Der Hochzeit-Fackeln Licht? Der Strom verliebter Zehren
Versamlet solch ein Meer / auf dem der Libes-West
So leicht uns auf die Syrt als in den Hafen bläst.
Warumb / was zittern wir den Schluß ins Werck zu richten?
Für was entsetz ich mich? Für schattichten Gesichten?
Warumb bebt Hand und Fuß? Der Angst-Schweis bricht mir aus.

Ich wath' in Sand und Flutt / und steh auf Brand und Graus!
Welch Schauer überläufst die Eiß-gefrornen Glieder?
Das Haar fleht mir zu Berg / ich sincke Kraft-loß nieder.
Hilf Himmel! ich erstarr! ach. Was hab ich gethan?
Der Tod und Abgrund greift den Mutter-Mörder an!
Ist Agrippine todt? und sie lebt uns zur Rache?
Schaut! Wie die Bluttige das Mordschwerd fertig mache!
Schaut! Wie ihr nackter Arm das Eisen auf uns wetzt
Und uns die Faust an Halß / den Dolch ans Hertze fetzt!

AGRIPPINENS GEIST.

Schreckt dich nunmehr der todten Mutter Schatten?[136]
Die dich lebendig nicht zu zähmen mächtig war?
Ein Tiger hat mit mir sich müssen gatten:
Daß dieser Leib solch einen Wurm gebahr.
Die Natter reißt der Mutter Eingeweide
Nicht außer der Geburth entzwey:
Weil ich von dir dis auch nun sterbend leide /
Seh ich: Daß Nero mehr als Schlang und Natter sey.
Mein Adern-Kwäll hat nie kein Blutt gezeugt /
Das nicht mit Milche theils dein Leben
In zarter Kindheit hat gesäugt /
Theils hat es Farbe dir zum Purper abgegeben.
Doch endlich musts ein süsser Kühlungs-Wein
Der Ehrensucht / der Rache Labsal seyn.«u
Kein Geyer speißt sich nicht mit Geyers Blutte;
Du aber saugsts der Mutter aus.
Doch hielt ich dir dis alles noch zu gutte /
Ob schon mein Leib ist worden Asch und Graus.
Da doch iedweder Wurm / die schwache Schnecke sich /
Die sich nur: Daß sie nicht verfaulen soll / beweget /
Die Waffen bey Gefahr in ihrer Schale reget /

Und auf den / der sie neckt / versuchet Rach und Stich:
Holtz knackt und springt / wenn es die Flammen fressen.
Allein ein großer Geist
Wird denn erst hoch gepreist /
Im Fall er Rach und Unrecht kan vergessen.
Dis / sag ich / solt auch mit des Leibes Aschen
Verbrennt / vertilgt / verstäubt seyn / abgethan /
Weil aber du mir Ehr und Ruhm greifst an /
Sol Lethe selbst mein Bluttmahl nicht abwaschen.
Du Mörder / schwärtzst mit diesem Laster mich /
Ich hette Meuchel-Mord gestiftet selbst auf dich!
Brich Abgrund auf! Verschling die Mißgeburth der Erden /
Ein gutter Ruhm ists Kleinod dieser Welt /
Ein Heyligthumb / das man für Göttlich hält /
So muß es ja versöhnt mit Blutt und Opfern werden.
Der Hund in deinem Hertzen billt /
Dein Hencker schmeltzt schon Pech zu deinen Bränden /
Verläumbdung kan der Unschuld Schild
Zwar wol erschelln / des Richters Auge bländen:
Alleine die Gewissens-Pein
Muß endlich doch ihr Hencker seyn.
Ja! was hat erst dein Blutt-Rath mehr beschlossen?
Soll nun Octavie auch deinen Mord-spruch hörn?
Soll die / die Haß und Geilheit angegossen
Unschuldger Leichenberg / die Schaar der Geister mehrn?
Mein Schatten wird in unter-irrdschen Hölen
Die Todten-Beine / grimmer Sohn /
Der längst-entseelten Menschen schon
Zu meiner Lust / und dir zur Kwal beseelen.
Bis daß du nach viel Ach und Pein
Die Götter wirst versöhnen auf der Baare /

Wenn auf dem mir geweyhten Rach-Altare

Dein Arm der Prister wird / dein Leib das Opffer seyn.[137]

NERO.

Ach! Mutter / ach! Vergib! vergib dem bösen Kinde!

Wasch ab durch Straff und Blutt das Brandmal ärgster Sünde!

Fleuchstu? Verzihe doch! Die Faust ist schon geschickt

Daß sie den blancken Dolch mir in das Hertze drückt /

Und dir mit meiner Leich ein bluttigs Opffer bringet.

BURRHUS.

Halt Fürst! Was ists / das ihn zu dem Verzweifeln zwinget?

NERO.

Laßt den gekwälten Geist erlangen Tod und Ruh.

BURRHUS.

Der Käyser meld uns doch / was nöthigt ihn hierzu?

NERO.

Die Mutter.

BURRHUS.

Die schon kalt!

NERO.

Bekämpft die ängstge Seele.

BURRHUS.

Die Geister kommen nicht zurück aus Grab und Höle.

NERO.

Sie hat itzt ja auf mich den Blutt-Spruch erst gefällt.

BURRHUS.

Nichts Wunder: Daß die Furcht den Traum für Warheit hält.

NERO.

Was uns ihr Geist gedreut / das dreut uns auch's Gewissen.

BURRHUS.

Solch Nebel wird sich schon am Tage säncken müssen.

NERO.

Sagt / ist der Tag das Ziel des Lebens[138] itzt bald dar?

BURRHUS.

Die Nacht sey ohne Furcht / der Tag hat nicht Gefahr.

NERO.

Die Schaar / die für uns wacht / denckt selbst uns hinzurichten.

BURRHUS.

Der Käyser schlüsse doch die Wurtzel aus den Früchten.

Erzeigt der Majestät dis / was ihr seid gesinnt.

HAUPTMAN.

So lang ein Tropffen Blutt in unsern Adern rinnt /

So lang ein Athem wird des Lebens Bälge treiben /

Wird das geschworne Heer dem Käyser treu verbleiben.

Wir fallen ihm zu Fuß / und küssen Hand und Knie /

Verwünschend: Daß das Hauß des Käysers ewig blüh /

Erfreut: Daß er beglückt dem Meuchel-Mord entronnen.

NERO.

Wenn euer Gunst-Wind weht / so hat mein Schiff gewonnen.

Verharrt in treuer Pflicht. Des Käysers milde Hand

Wird zweyfach euch thun gutt / was Agrippin entwand.

Jedoch / umb unser Reich mit Wohlfarth zu bekrönen /

Eiln wir der Mutter Geist mit Opffern zu versöhnen.[139]

Der Schauplatz verändert sich in eine wüste Einöde.

Paris. Anicetus. Mnester. Die Todtengräber.

PARIS.

So ist das stoltze Weib nun Asche / Grauß und Staub?

MNESTER.

Die Glieder sind allein der Glutt verweßlich Raub.

ANICETUS.

Ist außer Knoch' und Kohl' auch sonst was übrig blieben?

MNESTER.

Ja / Ihr Gedächtnüs ist ins Buch der Zeit geschrieben.

ANICETUS.

Ist ihre Seele nicht in Schlang und Wolff gefahrn?[140]

MNESTER.

Sie stieg den Sternen zu die auch ihr Uhrsprung warn.[141]

PARIS.

Hat sie durch Laster nicht die Flügel eingebißet?

MNESTER.

Schäumt / lästert! aber sagt / ob ihr so gar nicht wisset?

Es hege noch ihr Geist in dieser Welt Gericht.

PARIS.

Wo ist ihr Urthel-tisch? Wer? über den sie spricht?

MNESTER.

Die Mord-schaar ist ihr Volck / der Richtplatz ists Gewissen.

ANICETUS.

Der taug zum Richter nicht / der selbst muß Laster bißen.

MNESTER.

Was hängt Verleumbdung nicht für Fleck der Unschuld an?

PARIS.

Sag ob man rechtes Recht Verleumbdung nennen kan?

MNESTER.

Mit was für Recht entziht man ihr den Schmuck der Baare?

ANICETUS.

Man ehrt die Boßheit nicht mit Tempel und Altare.

PARIS.

Die Straffe folgt der Schuld; und wenn der Leib erblaßt /

So bleibt er unverehrt / ihr Leben hoch verhaßt.

MNESTER.

Die Tugend wird durch Haß der Feinde nicht versehret.

ANICETUS.

Wo ist itzt einig Mensch der ihr Gedächtnüs ehret?

MNESTER.

Die Nachwelt und halb Rom wird nicht vergessen ihr.

PARIS.

Wie daß der Adel ihr nicht trägt die Bilder für?[142]

MNESTER.

Ihr hoch Geschlechte gläntzt auch sonder Ertzt und Steine.

ANICETUS.

Kein naßes Aug ist dar / das ihren Tod beweine.

MNESTER.

Aus Nerons wird noch kwälln an statt der Thränen Blutt.

PARIS.

Wie daß man Weyrauch nicht in ihren Holtzstoß thut?

MNESTER.

Wohlrichend Hartzt und Holtz / macht doch nur Rauch und Aschen.

ANICETUS.

Wer hat den todten Leib mit Salben rein gewaschen?

MNESTER.

Man reinige den Geist / der Leib mag fleckicht seyn.

PARIS.

Wer hüllt in Seid und Gold den kalten Leichnam ein?

MNESTER.

Dis Wurmgespinste wird von Wurm und Glutt gefressen.

ANICETUS.

Wird ihrer Thaten nicht von Rednern gar vergessen?

MNESTER.

Die Tiber und der Rhein sind Redner für ihr Lob.

PARIS.

Wie daß kein Bette sie von Helffenbein erhob?

MNESTER.

Entseelte ruhn so gutt auf Holtz alß Helffenbeine.

ANICETUS.

Man sammlet nicht die Asch in Gold und edle Steine.

MNESTER.

So bleibt ihr Todten-Topff der große Kreiß der Welt.

PARIS.

Kein Raths-Herr steht allhier / der ihr die Fackeln hält.

MNESTER.

Der Himmel leuchtet ihr mit Sternen selbst zu Grabe.

ANICETUS.

Wo steht ein einig Bild / das ihr Gedächtnüs habe?

MNESTER.

Ihr Nahme lässet sich aus Städten tilgen nicht.

PARIS.

Wer ist / der ihr umbs Grab Cypreß und Rosen flicht?

MNESTER.

Welch Absehn hat ein Geist auf bald verfaulte Blätter?

ANICETUS.

Kein Pfau / kein Adler trägt die Seel ins Schloß der Götter.[143]

MNESTER.

Die Tugend kan allein vergöttern unsern Geist.

PARIS.

Sagt: Wer was Göttliches an Agrippinen preißt?

MNESTER.

Der Käyser wird sie selbst mit Furcht vergöttert schauen.

ANICETUS.

Man läßt den Göttern sonst Altar und Tempel bauen.

MNESTER.

Geweyhte Seelen gehn geweyhten Marmeln für.

PARIS.

Wo sind die Weyhungen? Welch Prister opffert ihr?

MNESTER.

Der Neid wird ihr noch selbst die Schlangen opffern müssen.

ANICETUS.

Weil sie noch giftge Milch in ihrer Asche wissen?

MNESTER.

Die Rache kühlet sich sonst durch den Todten-Schweiß
Und wenn sie ihren Feind entseelt / erkaltet weiß:
Ihr aber spielet noch mit ihren dürren Knochen /
Die diese Glutt verfängt und Mord-Lust hat zerbrochen.
Ihr Mörder / maßt was euch zu dancken ist / ihr zu /
Daß man der Todten nicht den letzten Dienst recht thu?
Jedoch versichert euch: Beschimpffung todter Leichen /
Ob's denen / die für Tod und Zeit die Segel streichen /
Zwar nicht empfindlich fällt / ist so verruchte That /
Die Brand und Pest zur Straff und Gott zum Rächer hat.
Welch Wahnwitz aber lehrt? Daß es was schaden könne
Dem Todten / wenn man nicht ihm groß Gepränge gönne.
Viel derer Thaten stehn den Sternen eingepregt /
Sind in kein Marmeln-Grab / in schlechten Sand gelegt.
Viel haben ihren Sarch in wilder Thiere Magen /
Viel in der wüsten See: Viel hat ein Felß zerschlagen;
Viel leben unversehrt / ob Amianten-Stein
Und Leinwand / die nicht brennt /[144] gleich nicht den Leib schloß ein.
Es ist ein schlecht Verlust / ein kostbar Grab entbehren.
Auch was gebalsamt ist / kan Faul und Wurm verzehren /
Den Ambra tilget Wind / die Myrrhen frißt die Zeit /
Was Lebens-Oel soll seyn / ist selber Eitelkeit.

Dis einge geb ich nach bey den verlangten Gaben:
Die Götter müssen Blutt zu ihrem Opffer haben;
Wo wird es Agrippin itzt aber nehmen her?
Dem / der doch sterben muß / fällt sterben wenig schwer.
Auf Mnester? rüste dich und opffere dein Leben
Derselben / der man wil kein Blutt zum Opffer geben!
Weil Niemand ihr Gebein aus kostbarm Wasser wäscht /
Und die noch glimme Glutt durch keine Thrän außläscht /
So wasch und lesche sie mein spritzendes Geblütte;
Eh als der Käyser mich mit Blitz und Ach umbschütte
Viel besser: Daß ein Dolch die Adern schneid entzwey /
Und mein unschuldig Blutt ein reines Opffer sey;
Als: daß es auf der Rach entweyhtem Schmach-Altare
Der Mord-Verräther Grimm / der Hencker Pein erfahre.
Mnester / zitterstu? schreckt Tod und Sterben dich.
Was starrstu? hemmt dein Arm noch den behertzten Stich?
Stoß / Mnester / stoß / stoß zu![145] durch solch bepurpert Sterben
Kan aus den Wunden man ihm Ehren-Fahnen färben.

PARIS.

Schau / wie / wenn man der Schlang ihr giftigs Haupt abschlägt /
Ihr Schwantz und Brutt sich selbst ins Grab zu scharren pflägt.

MNESTER.

Ihr Schlangen / gebt den Stich mir und der Agrippine.

ANICETUS.

Schau wie die Natter noch zu züngeln sich erkühne!

MNESTER.

Die Zunge / die schon stirbt / ist alles Heuchelns frey.

PARIS.

Man lacht / wenn / wer verspielt / die Karte reißt entzwey.
Verblutte Seel und Geist / verkühle Zorn und Gallen.
Ein sich selbst-stürtzend Feind bringt süsses Wolgefallen.

Nero. Zoroaster. Sein Diener. Paris. Anicetus.

NERO.

Hier ist der Orth / den du zum Opffer dir bestimmt.

ZOROASTER.

Sehr wol: daß noch die Asch und ihr Gebeine glimmt.

Was aber rächelt hier für eine bluttge Leiche?

ANICETUS.

Ein sich selbst-leschend Brand von Agrippinens Seuche.

ZOROASTER.

Der Himmel segnet selbst mein Todten-Heyligthum /

Der Zufall meinen Wunsch / mein Werck der Weißheit Ruhm.

Weicht aber bald von hier ihr ungeweyhten Seelen.

Es dient nichts Irrdisches den Göttern tieffster Hölen.

Mein Sohn / komm rücke mir den Opffer-tisch hieher.

NERO.

Mein Hertze wird mir kalt / und alle Glieder schwer!

ZOROASTER.

Der Käyser muß behertzt vollziehn / was angefangen.

NERO.

Wo wir durch Hertzhaft-seyn nur auch den Zweck erlangen.

ZOROASTER.

Der Käyser sorge nicht. Die Sternen folgen mir /

Ich schreibe Satzungen den Göttern selber für /

Ich mache: daß der Tag mit vielen Sonnen strahlet /

Daß dreyer Monden Licht die Mitternächte mahlet /

Ich halte durch mein Lied der Flüsse schnellen Lauff /

Den Zirckel der Natur / der Sternen Wechsel auf.

Ich schwelle Well und Meer auch sonder Sturm und Winde /

Ich schaffe: daß das Eiß als Schwefel sich entzünde /

Mit Flammen lesch ich Glutt; Die Zeichen meiner Schrifft[146]
Sind von so großer Krafft: daß Nattern Gall und Gift
Bey meinem Kreyß außspein / daß die zertheilte Schlange
Zusammen wieder wachß und neue Seel empfange;
Daß Ström als Eiß erstarrn /[147] die Bach in Kwäll verseugt;
Daß Hecate zu mir in eine Höle steigt;[148]
Daß Flüsse Lauff und Gang Berg-auf zu Gipffeln nehmen.
Ich kan die Drachen kirrn und Panther-thiere zähmen /[149]
Die Löwen sind mein Pferd / die grosse See mein Land /
Ich baue Thürm ins Meer / und Kwällen in den Sand /
Ich kan mit Menschen-Blutt in volle Monden schreiben /[150]
Wohin die Sterblichen wird ihr Verhängnüs treiben /
Den Grüfften pflantz ich Licht / den Marmeln Liebes-Pein /[151]
Den Felsen Zung und Red / Entseelten Seelen ein.

NERO.

Ach möcht auch doch durch dich der Mutter Geist erwachen!

ZOROASTER.

Laß uns zum Heyligthum nunmehr den Anfang machen.
Der Käyser setze sich hier hinter das Altar.
Mein Sohn / nimm was ich dir befehle / fleißig wahr.
Gib das gefärbte Tuch aus laulichtem Geblütte
Der Kinder / die mein Arm aus Mutter-Leibe[152] schnitte.
Komm lege mir den Rock / der Götter duldet / an.[153]
Komm wasch aus Wasser ihn / das aus drey Brunnen ran /
Eh als ich es geschöpfft in drey entweyhten Nächten.
Nun mustu umbs Altar Cypressen-Zweige flechten.
Gibs Rauchfaß / ein von Wachs und Schwefel brennend Licht.
Vergiß Wacholder-holtz und Lorber-Beeren nicht /
Gib Kräuter / die man muß bey Monden-scheine graben /[154]
So oft als Nacht und Tag gantz gleiche Stunden haben.
Wormit sich Nectabis in Ammon hat verkehrt /[155]

Als ihn Olympias des Beyschlafs hat gewehrt:

Gib her sein Jungfern-Wachs / daraus er Bilder machte /

Dardurch er Stürm ins Meer / den Feind in Schiffbruch brachte.

Gib Gemsen-Wurtzel her / Maah-Häupter / Eisenkraut[156] /

Fleisch / das man aus der Stirn unzeitger Pferde haut /[157]

Wirff Wolffs-Milch auf den Rauch / und Wurtzeln in die Flammen /

Wo Mann- und Weiblich Saam ist eingepfropft zusammen.

Nun werde mir hieher das Mohren-Kraut[158] gebracht /

Das Schlösser öffnen kan und Flüsse trocken macht.

Itzt gib den Distel-strauch / der nicht nur Geister schlüssen[159]

Ja Götter fäßeln kan: Daß sie erscheinen müssen.

Wo ist das Zackel-Kraut /[160] das Wein in Wasser kehrt?

Fehlt Osirite nicht /[161] durch welche man beschwert

Der Todten blaße Schaar? Du must das Kraut anzünden /

Dardurch man kan den Schatz verliebter Träume finden.[162]

Schau: Daß die Mauer-Raut[163] auch unvergessen sey /

Die Riegel lösen kan / und Steine bricht entzwey /

Wenn sie die Wiede-hopff hat in ihr Nest vergraben.

Itzt muß ich Krausemüntz und frischen Knobloch haben.[164]

Wo ist der Agrippin ihr wächsern Ebenbild?[165]

Gib den geheimbsten Zeug in Seiden eingehüllt.

Wie dieser Weyrauch-Safft dem Feuer gibt das Leben /

So soll dis Opffer auch den Geist ihr wieder geben.

Mein Sohn / nun geh und liß aus Asche / Flamm und Graus

Der Agrippinen Bein' und schwartze Knochen aus;

Des Mnesters Leiche sey gelegt zu meinen Füßen /

Damit ich alles kan in heilgen Zirckel schlüssen.

Du unbeseeltes Bild / ihr glimmenden Gebein /

Ich flöß euch Sonnen-schweis und Schaum vom Monden ein /[166]

Umb die versängte Krafft des Feuchten zu ergäntzen.

Die Augen die an Luchß / und Basilißken gläntzen /

Das Kraut / das / steckt man nicht Dianen Opffer an /[167]
Wenn mans ins Wasser wirst / die Augen bländen kan /
Des Habicht-krautes Safft /[168] die das Gesicht erfrischet /
Solln in dis Heyligthumb ietzt werden eingemischet
Umb zu ersätzen ihr ihr außgeleschtes Licht.
Hier ist die Heydechs-Haut /[169] die sie / weil sie sich nicht
Uns gönnet / selbst verschlingt. Die wird die Würckung haben
Mit neuem Fleisch und Haut die Todte zu begaben.
Hier füllet frisch Gehirn ihr leeres Todten-Haupt /
Das ich den Molchen hab am fruchtbarn Nil geraubt.
Itzt eign' ich ihr das Marck von ungebohrnen Kindern.
Die Fäule müssen Myrrh und Zeder-Oel verhindern /
Und dem Gehöre muß ein klingend Adler-stein /
Den er ins höchste Nest verstecket / hülffbar seyn.
Nun reiche mir / mein Sohn / des Hirsches Eingeweide:
Daß ich mir zur Artzney aus ihm die Schlange schneide /
Die gestern er verschlang. Gib mir die Gall itzt her
Des Fisches / der ein Schiff kan hemmen in dem Meer.[170]
Itzt muß die Lunge nicht der Krähe seyn vergessen /
Die neunmal hundert Jahr von Aeßern hat gefressen.
Wo ist des Maulworffs Hertz und dises / das mein Arm[171]
Bey neuem Mondenschein der Widehopffe warm
Aus ihren Därmen rieß:[172] Ich muß es bald verschlingen.
Denn Hecate steigt auf. Du must mir Milch herbringen
Von einer schwartzen Kuh / umb also bald zu sehn /
Was künfftig in der Welt / im Himmel sol geschehn!
Gib her den Ananchit[173] aus meinen kräftgen Steinen /
Der auch die Götter selbst kan zwingen zu erscheinen.
Wirff von der Fleder-Mauß die Leber in die Glutt.
Itzt misch ich Phoenix-Asch in Pelickanen Blutt /
Nebst eines Seiden-Wurms niemals entseelter Leichen.

Wie diese neuen Geist von lauer Wärmbd erreichen /
Wie Pelicanen Blutt die Jungen lebend macht /
Wie aus des Phoenix Asch ein Jüngerer erwacht;
So soll ein frischer Geist beseelen dis Gebeine.
Es zeigt sich Hecate schon mit geneigtem Scheine /
Und hemmt den schlaffen Zaum der weissen Ochßen an:
Daß Mitternacht sich nicht so bald entfernen kan /
Die Zeit die zu dem Werck allein ist außgestecket.
Es schläfst und schweigt / was Schliff / was Laub / und Himmel decket /
Kein Fisch schwimmt durch die See / kein Vogel durch die Lufft
Auß Schrecken der durch mich entdeckten Todten-Grufft /
Die Eule häulet nur / die grüne Natter zischet /
Die Feuer-Krette girrt. Mein Schweis werd abgewischet.
Mein Sohn / nun binde mir den Schlangen-Krantz umbs Haupt.
Weil dir noch neben mir zu bleiben ist erlaubt /
Wenn du mit Salbe mir / die mich nach Wunsch in Raben
In Katz und Wolff verkehrt /[174] die Brust gesalbt wirst haben.
Wo ist der Atizok /[175] durch welchen Stein man sich
Unsichtbar machen kan? Nunmehr entferne dich.
Jedoch / eh als die Grufft / der Abgrund wird zerrissen /
Muß Zirzens Zauberstab in einen Kreiß uns schlüssen;
Aus welchem man umbsonst zu kommen sich bemüht /
Eh als man ihn vertilgt von meinen Fingern siht.
Nun müssen umb den Kreyß die Zeichen seyn gemahlet /
Wormit zu Ephesus Dianens Bildnüs strahlet;[176]
Und in den frischen Sand[177] durch ein entblößet Schwerd
Die Grube seyn gescharrt / in welcher wird gewehrt
Den Geistern Honig / Milch / und Blutt und Saft aus Reben /
Wenn sie den Opfernden Gehöre sollen geben.
Schau wie spritzt schon empor der Adern rother Jäscht /
Der Todte kan beseeln / den Durst den Geistern läscht.[178]

Großer Beherrscher der finsteren Hölen /
Hellen-Diespiter / Vater der Nacht /
Schrecklicher König erblaßeter Seelen /
Wird dir von mir was Gefälliges bracht
Wenn ich die Heynen und Hölen erleuchtet
Tempel aus Todten-Gerippen gebaut /
Wenn dir mit Blutte der Wölffe befeuchtet[179]
Ward des Ononis dir heyliges Kraut:
Muß noch für Tage mir werden gewehret
Was dein gewidmeter Prister begehret.
Hecate / welcher dreyfaches Gesichte
Himmel und Erden und Hellen-Pful mahlt /
Wo ich dein Prister-Ampt würdig verrichte /
Wenn mich dein silberner Zirckel anstrahlt
Wirstu der Käyserin irrenden Schatten
Dieses ihr Opffer zu schauen verstatten.
Klotho besänffte der Atropos Wütten /
Fädeme wieder den Lebens-Drat ein /
Welchen die Schwester ihr hatte zerschnitten.
Dieses kan euch nicht verkleinerlich seyn /
Wenn ihr die Seele / die einmal erblasset /
Düsterner Mitter-Nacht Schimmer sehn lasset.
Charon / durch deßen gebildet Gesichte[180]
Meine Hand oftmals hat Seuchen gestillt:
Wenn ich das Schiff-geldt dir doppelt entrichte /
Hab ich dir Will und Verlangen erfüllt /
Disem nach mag Agrippine dich zwingen
Ihren Geist wieder zurücke zu bringen.
Aber / du blasser Geist / irrende Seele /
Lasse dein schattichtes Antlitz uns schaun.
Komm aus der dir aufgeschlossenen Höle

Schaue / was wir für Altäre dir baun /
Lasse die dir aufgeopferte Gaben
Würckungen wahrer Versöhnungen haben.
Sorge nicht: daß dir die Speise wird fehlen /
Welche die schattichten Geister ernehrt.
Wilstu die güldene Wurtzel[181] erwehlen /
Schaue sie wird dir hier frischer gewehrt /
Als sie die einmal erblichene Seelen
Haben im Garten der finsteren Hölen.
Wie? wolln die Geister nichts auf mein Beschweren geben /[182]
Darf mir der Hellen Pful verächtlich widerstreben?
Soll mein verspritztes Blutt kein fruchtbar Opffer seyn?
So wil ich eure Nacht durch hellen Sonnen-schein
Zerstören / und den Tag in euren Abgrund schicken /
Die irrenden Gespenst in einen Kreiß verstricken.
Jedoch ich nehme wahr / an was der Mängel ligt.
Wenn ein entleibter Geist zum Todten-Opffer krigt
Kein bluttig Menschen-Hertz /so ist er nicht zu zwingen.
Wolan! ich wil auch dis dir Agrippine bringen.
Wie dieses Messer dringt durch Mnesters kalte Brust;
So dringe deine Seel auch durch des Abgrunds Wust /
Für dises Söhn-Altar / wo die geweyhten Flammen
Vermählen Asch und Hertz und Tag und Nacht zusammen.

NERO.

Hilff / Himmel! ich bin todt! der Abgrund schlingt mich ein!

ZOROASTER.

Ach! soll mein Heyligthum auch meine Baare seyn.
Die Ohnmacht fällt mich hin / ihr Sterblichen mögt lernen:
Wer Hell und Schatten ehrt / entehrt / erzürnt die Sternen.

Reyen.

Der Geister des Orestes und des Alcmæon. Der Megæra, Alecto, und Tisiphone.

DIE FURIEN.

Verfluchte! welcher grause Sünden

Zu Lethens glimmer Schwefel-Glutt

Den Weg noch allzu zeitlich finden /

Ist euer grimmer Frevel-Muth

Durch Aberwitz und Zauberey beflissen

Den lichten Pful des Abgrunds aufzuschlüssen?

DIE GEISTER.

Weh! weh! ach! ach! mag Frembder Missethat

Die grimme Pein verdienter Straffe schärffen?

Muß Mondenschein den Lebenden entwerffen

Was Mutter-Mord für Hellen-Hencker hat.

Weh! weh! ach! ach! Uns die wir müssen

Stets sterbend leben / ewig büßen.

MEGÆRA.

Ertzt-Mörder! wie die bluttge Striemen /

Die meine Schlangen-Rutte schlägt /

Orestens schwartzen Nacken blümen;

Weil er die Mutter hat erlägt;

So sol auch dich mit zehnmal ärgern Schmertzen

Die Peitsche röthen / Glutt und Schwefel schwärtzen.

ORESTENS GEIST.

Wo Minos nicht an mir die Rechte bricht /

Krafft welcher mir so scharffe Kwal ist worden;

Hat Hell und Welt genungsam Martern nicht

Für Nerons Halß und schröcklichs Mutter-morden;

Ich tödtete die mich verletzet /

Du die / die dich ins Reich gesätzet.

TISIPHONE.

Kommt / Schwestern / helft mir Rutten binden.

Kommt leiht mir euer Nattricht Haar.

Helft Hartzt vom Phlegeton anzünden /

Reicht Schwefel / Pech und Zunder dar.

Entblößet ihn / braucht Fackel / Flamm und Rutte

Biß sich der Brand lesch in des Mörders Blutte.

ALECTO.

Ertzt-Mörder! wie Alcmæons Eßen

Muß Galle / Gift und Schwefel seyn /

Weil er der Kinder-hold vergessen /

Die sonst die Mutter-Milch flößt ein:

So muß auch dir seyn brennend Oel gewehret

Daß deine Kwal stets mit der Flamme nehret.

ALCMÆONS GEIST.

Wo Rhadamanth mich nicht zu scharf verdammt /

Wenn Gifft mich tränckt / und glüend Ertzt mich speiset /

So ist kein Stahl der sattsam brennt und flammt /

Kein Gifft / das sich genungsam starck erweiset /

Dardurch der Abgrund das Verbrechen

Des Mutter-Mörders könne rechen.

TISIPHONE.

Kommt Schwestern / helft Getrancke machen

Bringt Basilißk- und Molchen-Jäscht

Vermischt mit Eyter von den Drachen:

Daß es den Durst dem Käyser läscht.

Trinck / Nero / trinck! was magert dein Gesichte?

Gift ist dein Wein / der Schwefel dein Gerichte.

DIE GEISTER.

Gißt siedend Oel dem Mörder auf die Brust

Zerreißt den Leib mit glüend-heissen Zangen /

Vergällt mit Ach ihm seine Mörder-Lust /

Sätzt Würmer ihm ins Hertz / im Busen Schlangen /

Nur: daß die Pein den nicht verzehret /

Der Mutter-Milch in Wermuth kehret.

MEGÆRA.

Ich wil nicht seinen Geist nur plagen /

Rom mag hier Nerons Bildnüs sehn

Den Sack der Mutter-Mörder tragen

Zu weisen: Was ihm sol geschehn.

Dis Marmel rufft: Der Fürst hat mehr begangen

Als sich Orest / Alcmæon unterfangen.

ALECTO.

Ihn muß noch gleichwol was erkwicken.

Iß! iß die güldnen Aepfel hier /

Die dich mit tausend Lust anblicken.

Kommt ihr Harpyien[183] herfür /

Ihr mögt dahin die spitzgen Klauen senden /

Reißt ihm die Frücht' aus den verfluchten Händen.

TISIPHONE.

Ich wil dich noch mit Früchten nehren /

Die Zucker-schilff und Weinstock trägt.

Doch nein! der Himmel wils verwehren;

Schau wie der lichte Blitz herschlägt![184]

DIE GEISTER UND FURIEN.

Lernt Sterblichen: Daß ein verlätzt Gewissen

So wird gekwält / gehenckert und zerrissen.

Anmerckungen.

Geneigter Leser. Es wird in gegenwertigem Trauer-Spiele vorgestellet ein Schauplatz grausamster Laster / und ein Gemälde schrecklicher Straffen. Unkeuschheit und Ehrensucht kämpffen mit einander umb den Siges-Krantz. Alleine beyden muß endlich Kind und Helle zum Hencker / Myrthen / und Lorber-Zweige aber in Cypressen verwandelt werden. Ihre boßhafften Gemütts-Regungen habe ich mit schönern Farben nicht abmahlen dörffen. Denn ich aus der Poppee keine Penelope / aus dem Nero keinen Ninus machen / weniger einer Lais Reden eines Socrates zueignen können.

Dahero ich mich wider iedweden allzu scharf urtheilenden *Cato* der von dem *Marino* in seines *Adonis* achtem Liede gebrauchter Schutz-Rede zu bedienen berechtigt achte.

Du / deßen heylig Schein der Kurtzweil widerstrebet /
Nicht suche Sauer-teig der ernsten Sitten hier.
Wer nur den Mängel merckt / der an dem Gutten klebet /
Der bricht die Dornen nur / verschmäht der Rose Zier.
Wer unbefleckten Schertz nebst reiner Lust anhebet /
Und durch Behutsam-seyn den Lastern beuget für /
Der ist nicht weniger als dieser klug zu preisen /
Der ohne Brand und Wund umbgeht mit Glutt und Eisen.
Die grimme Natter saugt nichts minder als die Bienen
An Blumen / die die Brust des fetten Hybla nehrt.
Jedweder muß ihr Safft zu ihrem Vorsatz dienen:
Daß die in Honig ihn und jen' in Gifft verkehrt.
So / dörft auch einer gleich schälsüchtig sich erkühnen
Der Gall und Schleen-safft hieraus zu zihn begehrt:
So wird doch jemand sonst ein linder Urtheil sprechen /
Ja der Erbauung Frucht von disen Myrthen brechen.

1 *Tac. 13. Annal. c. 41. n. 3. 4.*

2 Wie diser von dem *Corbulon* überwundene Armenische König von dem *Nero* Fußfällig die Königliche Krone erhalten / beschreibt *Sueton. in vit. Neron. c. 13.* Ob nun zwar dis scheinet ein antixronismos zu seyn. So ist doch dis denen Poeten vergünstigt / und hat dis nebst dem *Maro* und vielen andern auch in gleichmässiger Schreibens-Arth gethan *Senec. in Hercul. Furent. vers. 14.* Denn die daselbst unter die Sternen gerechnete *Castor* und *Pollux* damals noch nicht gestorben waren.

3 *Tacit. 13. Annal. c. 4. n. 2.*

4 Nach gehaltenem Triumph legten die Sieger in des *Jovis Capitolini* Schooß einen Lorber-Zweig. *Tranquill. in Domitian. c. 6.* dahero auch von *Nero Sueton. c. 13.* meldet. *Ob quæ Imp. consalutatus Laureâ in Capitolium latâ Janum geminum clausit tam nullo quam residuo bello.*

5 *Sueton. in Neron. c. 10. Graviora vectigalia abolevit aut minuit. Præmia Papiæ Legis ad quartas redegit. Divisis populo viritim quadringenis nummis: Senatorum nobilissimo cuiqque sed à re familiari destituto, annua salaria & quibusdam quingena constituit. Item Prætorianis cohortibus frumentum menstruum gratuitum. Tacit. 13. Annal. c. 31. n. 2. 3. Plebiqque congiarium quadringenti nummi viritim dati, & sestertiûm quadringenties ærario illatum est ad retinendam Populi fidem. Vectigal quoqque quintæ & vicesimæ venalium Mancipiorum remissum, specie magis quam vi. Quia cum venditor pendere juberetur, in partem pretii Emtoribus accrescebat.* Damals ist auch gewisse Müntze geschlagen worden / mit der Uberschrifft: *Congii dati Pop.*

6 *Tac. 13. Ann. c. 10. n. 1. 2. Eodem anno Cæsar effigiem Cn. Domitio patri, consularia Insignia Asconio Labeoni, quo tutore usus erat, petivit à senatu: sibiqque statuas argento vel auro solidas, adversus offerentes prohibuit. Et quanquam censuissent patres, ut principium anni inciperet mense Decembri, quo ortus erat Nero, veterem religionem Calendarum Januariarum inchoando anno retinuit.*

7 *Tacit. 13. Ann. c. 8. n. 2.* redet also von dem Anfange des Neronischen Reiches. *Videbatur locus virtutibus patefactus.*

8 *Petron. Arbiter:*

Ingeniosa gula est, Siculo Scarus æquore mersus
ad mensam vivus deducitur: inde Lucrinis
eruta Littoribus vendunt Conchylia Cœnis,
ut renovent per damna famem. Jam Phasidos unda
orbata est avibus, mutoqque in littore tantum
solæ desertis adspirant frondibus auræ.

9 Diese hier beschriebene Speisen sind bey den Römern in höchstem Werth gewest. Und gehöret hierher der Orth *Sueton. in Vitell. c. 13. In hac patinâ Vitellius (quam Clypeum Minervæ* aigida polioyxoy *nominavit) Scarorum jecinora, Phasianuorum & Pavonum Cerebella, Linguas Phoenicopterûm, Murænarum lactes à Carpathio usqque fretoqque Hispaniæ per Navarchos triremesqque petitarum permiscuit.* Insonderheit erkläret diesen Orth *Plin. lib. 10. c. 48. Phoenicopteri linguam præcipui saporis esse Apicius docuit, Nepotum omnium altissimus gurges.* Und *Martial. lib. 13.*

Dat mihi penna rubens nomen: sed Lingua gulosis
nostra sapit: quid si garrula Lingua foret?

10 Derogleichen Schwelgerey erzehlt von *Claudio Æsopo histrione Plinius. Maximè insignis est in hâc memoriâ Clodii Æsopi histrionis tragici patina, sexcenties HS. taxata: in: qua posuit aves, cantu aliquo aut sermone humano vocales, millibus sex singulas coëmtas, nullâ aliâ inductus voluptate, nisi ut in his imitationem hominis manderet, vel (ut Lipsius de Admirand. Romæ lib. 4. cap. 7. legit) imitatione hominem manderet.*

11 Hoch wurden die Phasanen / am höchsten ihr Gehirne gehalten. Ihre Ankunfft ist von dem Flusse Phasis. Dahero *Martial. lib. 13.*

Archivâ primum sunt transportata Carinâ,
ante mihi notum nil nisi Phasis erat.

Joh. Schildius in Not. ad Sueton. in Caligul. c. 22. p. 447. n. 4. vermercket: Daß so Käyser *Alexander* nur an Festtagen Phasanen gespeist habe.

12 *Murænarum lactes.* Denn *Paul. Jovius* im Buche von der Römer Fischen hält darfür: Daß die *Muræ*nen eben dieselbe Fische sind / welche *Plinius Mustelas,* wir vom Lecken an den Felsen Lampreten nennen. Die Würde dieses Fisches beschreibt *Macrob. Saturn. lib. 3. c. 15.* Ja *Scipio Mazzella nell' Antichità di Pozzuolo cap. 20. p.m. 75.* erzehlet: Es habe *Hortensius,* den *Cicero Piscinarium* nennet / eine *Muræna* so lieb gehabt / daß / als sie gestorben / er darüber geweinet / *L. Crassus* habe sich wegen einer in die Trauer gekleidet / und selbte als sein Kind begraben lassen. *Antonia Drusi* hieng einer zahmen Murene köstliche Perlen an die Ohren.

13 Diser im Carpathischen Meere gemeine Fisch ward von den Römern für den allerköstlichsten gehalten / dahero *Plin. lib. 9.* erzehlt: Daß *Elipertius* sie von dorther geführet / und zwischen Ostia und Campanien ausgesämet / mit Vorsorge: Daß man die / so in den nechsten fünf Jahren würden gefangen werden /wieder solte in die See werffen. Ja *Schild. ad Suet. Vitell. c. 13. p. 719. n. 4.* berichtet aus dem *Ennio:* Daß die Römer disen Fisch gar für des Jupiters Gehirne gehalten. Dis ist was Sonderlichs: Daß er sich von Kräutern nehret. Dahero redet von ihm *Oppianus:*

Hic Scarus saxa frequentat
qui mites inter pisces clamore tremendo
intonat, & solus pallentes ruminat herbas.

14 Hieher dienet der berühmte Orth *Latini Pacati in Panegyr. Theodos. Nihil opus est ad penum regiam flagitare remotornm littorum piscem, peregrini aëris volucrem, alieni temporis florem. Nam delicati illi & fluentes, & quales sæpè tulit Resp. parum se lautos putabant, nisi luxuria vertisset annum nisi hibernæ Poculis Rosæ innatassent, nisi æstivâ in gemmis capacibus glacie Falerna fregissent. Horum gulæ angustus erat orbis noster; namqque appositas dapes non sapore, sed sumtu æstimantes illis demum cibis acquiescebant, quos extremus Oriens, aut positus extra Romanum Colchus Imperium aut famosa naufragiis maria misissent. Plinius* straft dis also: *Servatur algor æstibus, excogitaturqque ut alienis Mensibus nix algeat.* Insonderheit erzehlet von *Nerone Sueton. in Neron. c. 27. Epulas à medio die ad mediam noctem protrahebat: refotus sæpè calidis piscinis ac tempore æstivo nivatis.* Vom *Heliogabalus* schreibet *Lampridius:* Daß er im Sommer grosse Berge Schnee zusammen geführet habe. Der Schnee aber sol vor der Hitze wol in Spreu zu erhalten seyn. Auf welches *Augustin. lib. 21. de Civit. Dei* zielet: *Quis Paleæ dedit vel tam frigidam vim ut obrutas nives servet? vel tam fervidam ut poma immatura maturet?*

15 Die Alten nenneten sie *Vasa Murrhina.* Dise sol *Pompejus* aus dem *Mithrida*tischen Kriege am ersten nach Rom bracht haben. *Schild. ad Sueton. in Augusto. c. 71. p. 263. n. 3.* bestetiget dis und meldet: *quod ex luto quodam albo & in Fornacibus cocto apud Chinas Porcellanea Vasa fieri contendant. Jacob Eyndius ab Hæmstede in Convivali Senatu super pace Hispanâ. pag. 44.* erzehlet nachfolgendes hieher anzumercken würdiges. *Cumqque id intentius contemplari & curiosâ manu tractari, lentis etiam digitis sonum ejus explorari videret, Porselanum est, inquit, purum & putum, id in Chinâ Odoardus Barbosus ex marinis animalculis sub terrâ per centum annos defossis & deinde contusis fieri scribit; sed eum reprehendit Johan Gonzales de Mendoza (de regn. Chin. lib. c. 10.) & id fieri ait ex durissimâ Cretâ, quæ contusa & dimissa in quandam paludem in ejus superficie pellucidè indurescit. Alii, ut plerumqque multa prisci ævi vestigia in materiam eruditæ disputationis trahuntur, ad Puteolani pulveris speciem, cujus Plinius meminit, materiam hanc referunt. Contra venena præsentem esse consentiunt, nec id infusum admittere, ob herbarum & aromatum vim, cum quibus subacta est. Quod nec à veritate abhorret, cum & suo ævo vasa è subactâ cum odoriferis herbis terrâ cocta, ex Ægypti civitate Copto advehi solita,*

scripserit Athenæus (lib. 11. deipnos.) *& Rhodiacas ollulas, myrrhâ, odoratô juncô, crocô, balsamô, cinnamomo simul junctis coqui dicat Aristoteles, (libr. de Temul.) quas & ideo ebrietatem arcere, & cocto dissipatoqque vaporoso vini spiritu venerem extinguere.*

16 Beyderley Verschwendung schreibet *Sueton. in Caligul. c. 37.* selbigem Käyser zu: *Nepotinis sumtibus omnium Prodigorum ingenia superavit, commentus novum Balnearum usum, portentosissima genera ciborum atqque Cænarum: ut calidis frigidisqque unguentis lavaretur: pretiosissimas Margaritas aceto liquefactas sorberet: Convivis ex auro panes & obsonia apponeret.* Von der *Cleopatra* ist denckwürdig: Daß / als sie einsmals mit *Antonio* gewettet: Daß sie eine Mahlzeit / welche *centies HS* oder *250000.* Philipsthaler kosten würde / anrichten wolte / sie eine köstliche Perle / die allein so viel werth gewest / vom rechten Ohre weggerissen in scharffem Essige zerlassen und verschlungen habe. Sie hette es auch mit der andern am lincken Ohre also gemacht / wenn nicht der erkohrne Schiedes-Richter *Munatius Plancus* es verwehret / und / daß *Antonius* verspielet / erkennet hette. Besiehe *Lipsium de Magnitud. Rom. lib. 4. cap. 7. p. 197.* Alleine daß dergleichen Verschwendung ein Comediante nachgethan / berichtet *Horat. 2. Sermon.*

Filius Æsopi detractam ex aure Metellæ,
scilicet ut decies solidûm exsorberet, aceto
diluit insignem baccam.

Der Balsam-Bäder aber hat sich auch ein Knecht des *Nero* bedienet. *Plinius. lib. 13. Nec non aliquem ex privatis audivimus iussisse spargi per parietes balnearum unguento atqque Cajum Principem solitum lavari: ac ne principale videatur hoc bonum, & posteà quendam è servis Neronis.*

17 Dises alles und ein mehrers erzehlt vom *Nero Sueton. in Neron. c. 30. Nullam vestem bis induit. Quadringenis in punctum HS. aleam lusit. Piscatus est reti aurato, purpurâ coccoqque funibus nexis. Nunquam Carrucis minus mille fecisse iter traditur, soleis Mularum argenteis, canusinatis Mulionibus, armillatâ & phaleratâ Mazacum turbâ atqque Cursorum.* Sonst erzehlet *Plutarchus* vom Könige in Persien *Surena,* der den *Crassum*

geschlagen / gleichmässiges: Exnlaynen katA eayton aei xiliais Skeyoporoymenos kamnlois, kai Diakosias apnnas epngeto pallakidon. Des Nero Weltberühmtes Hauß mit seinen Wundern beschreibet *Suetonius* an obigem Orthe / und *Tacit. 13. Annal. c. 42. 52.*

18 *Tacit. 13. Annal. c. 45. n. 2.*

19 Von der *Poppæa* meldet *Tacit.* eben daselbst: *Rarus in publicum egressus idqque velatâ parte oris, ne satiaret aspectum, vel quia sic decebat.*

20 *Tacit.* daselbst.

21 Pigmalion hat in ein von ihm gemachtes helffenbeinerne Bild sich verliebet / welches ernach sol beseelet worden seyn und den Paphus von ihm gebohren haben. *Ovid. lib. 10. Metam.* Derogleichen thörichte Verliebungen mehr erzehlet *Marino nella Pittura. part. 2. pag. 84. Sò che Alchida Rodico s'inamorò libidinosamente della statua di Venere opera di Prassitele. Hò letto, che Pigmalione della sua s'invaghì si sollemente, che con esso lei ragionava, l'abbracciava & con affettuosi gemiti sospirava. Souvienmi, che Giunio havendo veduto un simulacro delle Muse ignude, si accese' per esso di strano ardore. Mi ricordo, che Pontio si compiacque in guisa d'Atalanda & Helena satte già per mano di Cleofanto, che sene struggeva di desiderio. Trovo scritto finalmente amante essersi ritrovato tanto focoso, che morì bacciando della sua cara amata il ritratto.*

22 Diese des *Nero* Sängerey beschreibet *Tac. 14. Ann. c. 14. Sueton. in ejus vita. c. 10. in fin.*

23 *Tacit. 13. Ann. c. 18. n. 3. & c. 19. n. 4.*

24 Den Innhalt dises Auftritts / ja eben diese Worte hat *Tacit. 13. Ann. c. 46.*

25 Diesen gantzen Auftritt beschreibt *Tacit. 13. Annal. c. 20.*

26 *Tacit. 13. Ann. c. 5. n. 2. 3.*

27 Ein von den Römern gefangener König aus Britannien. *Tacit. 12. Ann. c. 37. n. 4. 5.*

28 *Tacit. 13. Ann. c. 5. n. 2. 3.*

29 Sie ward angeklagt: *destinavisse eam Rubellium Plautum, per maternam originem pari ac Nero gradu à D. Augusto, ad res novas extollere; conjugioqque ejus etiam Imperio, Remp. rursus invadere. Tacit. 13. Annal. c. 19. n. 4.*

30 *Octavia,* welche *Claudius L. Silano* verlobet /wessentwegen er aber durch List der Agrippine so wol seiner Brautt als des Lebens beraubet ward: Damit sie *Nero* heyrathen konte. *Tac. 12. Annal. c. 3. 4. & c. 8.*

31 *Tac. 13. Annal. c. 19. n. 5.*

32 *Tacit. l. 2. Annal. c. 30. n. 5.* sagt: Daß *Tiberius* dis angefangen. *Quia vetere Senatusconsulto quæstio in caput Domini prohibebatur, callidus & novi juris repertor Tiberius mancipari singulos actori publico jubet: scilicet ut in Libonem salvo Senatusconsulto quæreretur. Et idem lib. 3. Annal. c. 67. n. 4. Servos quoqque Silani, ut tormentis interrogarentur, actor publicus mancipio acceperat.*

33 *Junia Silana* war der Agrippine Feind und ihre Anklägerin / weil dise zwischen ihr und dem *Sextius Africanus* die Heyrath verhindert hatte / sie unkeusch und alt nennende. *Tacit. 13. Ann. c. 19. n. 2. 3.*

34 *Fabius Rusticus autor est, scriptos esse ad Cæcinam Thuscum Codicillos mandata ei prætoriarum cohortium cura: sed ope Senecæ dignationem Burrho retentam. Plinius & Cluvius nihil dubitatum de fide præfecti referunt. Tacit. 13. Ann. c. 20. n. 3.*

35 *Tac. 12. Annal. c. 42. n. 2.*

36 *Cum Præfectus Prætorio legebatur, dabatur ei ab Imperatore cingulum cum gladio. Hinc memorabilis illa Trajani vox, qui, cum Prafectum suum Cingulo donaret, ita dixisse fertur: Atqque è Rep. imperavero, pro me: sin secus, in me utere. Rosin. Antiqu. Rom. lib. 7. c. 33. in fin.*

37 *Tac. 13. Ann. c. 20. n. 5.*

38 Also beschreibet die *Agrippine Tac. 12. Ann. c. 42. n. 3. Venerationem augebat foeminæ, quam Imperatore genitam, sororem ejus, qui rerum potitus sit, & Conjugem & Matrem fuisse, unicum ad hunc diem exemplum est.* Denn *Germanicus* war ihr Vater / *Caligula* ihr Bruder / *Claudius* ihr Ehmann / *Nero* ihr Sohn.

39 *Colonia Agrippina. Tacit. 12. Annal. c. 27. n. 1.*

40 Daß die Römischen Käyser Teutsche zu ihrer Leibwache gehabt / lehret *Sueton. in Galbâ. c. 12.* insonderheit von *Augusto,* der sie bis zur *Varia*nischen Niderlage behalten / *Suet. in August. c. 49.* von *Caligula, Suet. in Calig. c. 55. 58. Joseph. Antiq. Judaic. lib. 19. c. 1.* Von der *Agrippine,* welcher sie aber *Nero* hernachmals weggenommen hat. *Sueton. in Neron. c. 34. Tacit. 13. Annal. c. 18. n. 5.* von *Herode. Joseph. lib. 17. cap. 10.*

41 Nero verstieß die Mutter in der *Antonia* Hauß. *Tac. 13. Ann. c. 18. n. 6.*

42 Diese Schand-That hat *Nero* selbst am Britannicus begangen. Hernach ihn allererst mit Giffte beflecket. *Tacit. 13. Ann. c. 17. n. 2.* Wie *Nero* aber den *Sporus als* ein Weib geheyrathet / beschreibet *Sueton. in Neron. c. 38.* Ja Nero hat als ein Weib dem *Doryphoro* (wie *Sueton. 16. c. 39.* meldet) oder dem *Pythagone* sich verlobet. Darvon *Tacit. 15. Ann. c. 37. n. 4. 5. Inditum Imperatori flammeum. Visi auspices, dos, & genialis thorus & faces nuptiales: Cuncta deniqque spectata, quæ etiam in foeminâ nox operit.* Käyser *Avitus PseudAntoninus Sardanapalus* machte es noch ärger / dieser wolte mit Gewalt ein unkeusches Weib seyn / ließ ihm die Haare gäntzlich wegnehmen / und heyrathete einen Knecht aus Carien / Nahmens *Hierocles:* Ja er wolte oft gleichsam in der That betroffen

werden / als wenn er mit andern Männern Unzucht getrieben; Deßwegen er denn vom *Hierocles* Scheltwortte und blaue Augen machende Schläge willig vertrug / ihn auch endlich zum Käyser zu machen entschlossen war. Dieser Käyser ließ auch einen solchen Buben Nahmens *Aurelius Zoticus* aus *Smyrna* poly de dh pantas to ton aidoion megetei nperairon, mit höchster Pracht nach Rom holen /machte ihn zum Kämmerer / eh er ihn sahe / badete und trieb alle abscheuliche Laster mit ihm / ruhete und speisete auf seiner Schoos. Als dieser *Aurelius* den Käyser bey seiner Ankunfft grüssete: Kyrie antokrator xaire. Fiel ihm der Käyser Weibisch umb den Halß sagende: Mh me lege xyrion. AEgo gar kyria eimi. *Xiphilin. in Avito. p.m. 370. 371.*

43 Die *Acte. Tac. 13. Annal. c. 46. n. 4.*

44 *Sueton. in Neron. c. 34. Cum veneno ter tentasset, sentiretqque Antidotis præmunitam: Lacunaria, quæ noctu super dormientem laxatâ machinâ deciderent, paravit.*

45 Der Agrippinen stattliche Schutzrede hat *Tacit. 13. Ann. c. 21.*

46 *Junia Silana* war der Agrippine Feind und ihre Anklägerin / weil dise zwischen ihr und dem *Sextius Africanus* die Heyrath verhindert hatte / sie unkeusch und alt nennende. *Tacit. 13. Ann. c. 19. n. 2. 3.*

47 *Domitiæ Neronis Amitæ Libertus. Tac. 13. Ann. c. 19. n. 5.*

48 *Tac. ibid. Inter Agrippinam & Domitiam infensa amulatio exercebatur.*

49 Dises alles erzehlet *Tac. 13. Annal. c. 22.*

Die Andre Abhandlung.

50 *Jurare per Cæsarem, Sueton. in Julio. c. 85. per Genium Principis. Idem in Caligul. c. 27. l. 13. §. 6. ff. de jurejur. l. 2. C. de reb. cred. solenne, & pejerare atrox erat. Tertullian.*

Apologet. c. 28. Citius apud vos per omnes Deos quam per Genium Principis pejeratur. Minutius Felix in Octavio: Eorum numen invocant, ad imagines supplicant, Genium hoc est, Dæmonem implorant, & est eis tutius per Jovis Genium pejerare quam Regis.

51 Was maßen *Sabina Poppæa* dem Nero seine Buhlerey mit der *Acte* verwiesen / beschreibet *Tacit. 13. Ann. c. 46. n. 3. 4.* Von diser meldet *Sueton. in Neron. c. 28. Acten Libertam paulùm abfuit, quin justo Matrimonio sibi conjungeret: submissis Consularibus viris, qui regio genere ortam pejerarent. Xiphilin. in Neron. p. 159.* meldet: Nero habe sie aus Asien gekaufft / selbte in das Geschlechte des *Attalus* gerechnet / auch viel lieber als *Octavien* gehabt.

52 Was maßen *Sabina Poppæa* dem Nero seine Buhlerey mit der *Acte* verwiesen / beschreibet *Tacit. 13. Ann. c. 46. n. 3. 4.* Von diser meldet *Sueton. in Neron. c. 28. Acten Libertam paulùm abfuit, quin justo Matrimonio sibi conjungeret: submissis Consularibus viris, qui regio genere ortam pejerarent. Xiphilin. in Neron. p. 159.* meldet: Nero habe sie aus Asien gekaufft / selbte in das Geschlechte des *Attalus* gerechnet / auch viel lieber als *Octavien* gehabt.

53 Dis und nachfolgendes stehet beim *Tacit. 14. Annal. c. 1.*

54 Daß *Sabina Poppæa* mit Vorgeben: Daß *Agrippine* ihr nachstellete / zu tödten beweget / hat *Xiphil. in Neron. p.m. 162.*

55 *Tacit. 14. Ann. c. 60. n. 1. exturbat Octaviam sterilem dictitans.*

56 *Igitur agentem Poppæam in matrimonio Rufi Crispini Equitis Romani, ex quo filium genuerat, Otho pellexit juventâ & luxu, & quia flagrantissimus in amicitia Neronis habebatur, nec mora, quin adulterio matrimonium jungeretur. Tac. 13. Ann. c. 45. n. 6.*

57 Von dem Nero / welcher seine Frau *Livie* noch schwanger dem August vermählte / sagte *Xiphilin. in August. pag. 50.* exedoke de aytnn ayos o anhr, osper tis pathr. Es habe sie ihr Mann wie ein Vater ihm übergeben.

58 *Igitur agentem Poppæam in matrimonio Rufi Crispini Equitis Romani, ex quo filium genuerat, Otho pellexit juventâ & luxu, & quia flagrantissimus in amicitia Neronis habebatur, nec mora, quin adulterio matrimonium jungeretur. Tac. 13. Ann. c. 45. n. 6.*

59 Von dem Nero / welcher seine Frau *Livie* noch schwanger dem August vermählte / sagte *Xiphilin. in August. pag. 50.* exedoke de aytnn ayos o anhr, osper tis pathr. Es habe sie ihr Mann wie ein Vater ihm übergeben.

60 *Q. Hortensius* hatte sich in seines vertrauten Freindes des *Cato* Ehweib die *Martia* also verliebet: Daß er es ihm endlich / weil er darüber kranck ward /offenbaren muste. Dahero sie ihm auch *Cato* willig überließ. Den darbey redenden *Cato* führet artlich ein *Ferrante Pallavicino nella Scena Retorica per il Catone amorevole.*

61 Durch dis Mittel pflegen Fürsten nicht nur Verdächtigen das Hefft der Gewalt aus den Händen zu winden / wie *Tiberius* dem *Germanico* gethan. *Tac. 2. Ann. c. 5. n. 1. & c. 42. n. 2.* Also trüg der König in Spanien *Ferdinandus Catholicus* dem grossen Feld-Hauptmann *Consalvo* an das große Meisterthum S. Jacobs: Ließ wegen seiner grossen Dienste an alle Christliche Häupter eine Ruhms-volle Erklärung ausgehn / ließ auch zu *Savona,* als der König in Franckreich Ludwig der Zwölfte und er zusammen speisten /ihn mit an die Taffel sitzen: *c'est faveur extraordinaire, particulierement d'un Sujet d'Espagne avec son souverain.* Besihe *Monsieur de Silhon au Ministre d'Estat, part. 1. chap. 6.* Sondern also pflegen sie auch frembder Frauen Besitzthum zu erlangen /wie allhier *Nero* Poppeens. *Tacit. 13. Ann. c. 46. n. 5. l. 1. Hist. 13. n. 5.* Aerger machte es *Avitus,* bey welchem des *Bassus* sterbenswürdiges Laster war: oti gynaika eypreph kai eygenh eixe. Daß er ein schön und edel Weib hatte. *Xiphilin. in Avit. p.m. 367.*

62 Also nennten auch die Römer die durchsichtigen Kleider / und eigneten sie gemeiniglich denen Ehbrecherinnen zu. *Vitreum enim (autore Nonio c. 6. n. 4.) pertenue & pellucidum quicquid est, veterum authoritate dici potest.* Dahero den Orth des *Horatii lib. 1. Od. 17.*

Dices laborantes in uno
Penelopen vitreamqque Circen.

Turneb. l. 8. c. 15. außlägt: *Circe vitrea fuit nuncupata quod meretricio ornaretur indumento. Seneca. l. 2. Controv. 7. ut adultera tenui veste conspicua ist.* Und *lib. 7. de Benefic. c. 9. Video sericas vestes, si vestes vocandæ sunt, in quibus nihil est, quo defendi aut corpus aut deniqque pudor possit, quibus sumtis mulier parùm liquidò nudam se non esse jurabit. Hæc ingenti summa ab ignotis etiam ad commercium gentibus accersuntur, ut Matronæ nostræ ne adulteris quidem plus in cubiculo quam in publico ostendant.*

63 *Quod in fæmina patratæ libidinis signum. Sueton. in Octav. c. 69. Juvenalis:*

Vexatasqque comas, vultumqque auremqque calentem.

64 Was maßen *Sabina Poppæa* dem Nero seine Buhlerey mit der *Acte* verwiesen / beschreibet *Tacit. 13. Ann. c. 46. n. 3. 4.* Von diser meldet *Sueton. in Neron. c. 28. Acten Libertam paulùm abfuit, quin justo Matrimonio sibi conjungeret: submissis Consularibus viris, qui regio genere ortam pejerarent. Xiphilin. in Neron. p. 159.* meldet: Nero habe sie aus Asien gekaufft / selbte in das Geschlechte des *Attalus* gerechnet / auch viel lieber als *Octavien* gehabt.

65 Dis / und daß Nero die alten Pferde mit einem Bürgerlichen Rocke beschencket / deßhalben auch *Aulus Fabricius prætor* die Pferde weggethan habe und mit Hunden gefahren sey / erzehlet *Xiphilin. in Neron. p.m. 159.* Noch ärger machte es *C. Caligula,* der ladete sein Pferd / welches *Incitatus* hieß / zu Gaste / ließ ihm Gersten in Golde fürsetzen / tränckte es mit Wein in güldenen Geschirren / schwur bey dem Heil und Glücke desselben / wolte es auch / wenn es nicht gestorben wäre / zum Bürgermeister machen. *Xiphilin. in*

Caligul. p.m. 134. Er machte auch sich und sein Pferd zu einem Priester / und ließ ihm alle Tage köstliche und kostbare Vogel opffern. *Idem ibid. p.m. 142.*

66 *Semper contra Ministrum æmulatio & invidia in armis excubant, intentæ in omnem occasionem ut in ruinam præcipitent. Tanto in eum odio fertur Populus, ut mala etiam Naturæ & vitia Principis eidem tribuat. Saavedra Symb. Polit. 50. §. 1. p.m. 371. Ita Sejano adscribebatur, qvod Amphitheatrum collapsum esset, & Mons Cælius conflagrasset. Tacit. 4. Annal. c. 64. qui mos vulgo, ut fortuita ad culpam trabant.* Dis bestätigt *Monsieur Silhon au Ministre d'Estat livr. 2. disc. 3. Le peuple rejette für les Ministres tous les maux de l'Estat, bien qu'ils n'en soyent pas coupables: il exige d'eux une continuelle felicité, bien qu'elle ne soit pas en leur pouvoir: il veut qu'ils soyent gerens de tous les evenemens, bien qu'ils ne le doivent estre que de leurs conseils: il les fait les Instrumens de toutes ses afflictions & de toutes ses souffrances, bien que d'ordinaire ses pechez en soyent la cause. Bref il les traite de la mesme forte & avec la mesme injustice, qu'estoient traite les premiers Chrestiens par les Payens; qui se prenoient à eux de la cholere du Ciel & des playes de l'Empire, & les faisoient les Auteurs des Inondations, des sterilitez & des pestes, dont il estoit travaillé.*

67 *Aristotel. l. 7. Pol. c. 6.*

68 Dise berühmte Geschichte / da Candaules seinem Freinde dem Gyges seine Frau nackend gewiesen und zum Ehbruch veranlasset / beschreibet *Justin. lib. 1. p.m. 18.*

69 *Tac. 6. Annal. c. 45. 6. 7. Impulerat Macro post mortem Claudiæ, quam nuptam ei (Cajo Cæsari) retuli, uxorem suam Enniam immittendo, amore juvenem inlicere pactoqque matrimonii vincire, nihil abnuentem, dum dominationis apisceretur.*

70 Beym *Tac. 3. Ann. c. 33. 34.* streiten *Severus Cæcina* und *Valerius Messalinus* heftig in zweyen Reden mit einander. Jener wil behaupten: Daß kein Landvogt seine Frau mit sich nehmen solle; Diser aber das Widerspiel.

71 Dis that *Agrippina* des *Germanici* Gemahl / *Tacit. 1. Annal. c. 69. Plancina. Tac. 2. Annal. c. 55. n. 6.*

72 *Capitonis obsequium dominantibus magis approbabatur. Tac. 3. Annal. c. 75. n. 4.*

73 *Ignis Vestalis nunquam sine portentô credebatur extingui & anxiâ sollicitudine expiabant quod contigit ante initia bellorum civilium motaqque inter Cæsarem & Pompejum arma. Quod ubi contigerat, omnia publica privataqque intermittebantur negotia, eratque Justitium indictum, donec Procuratio solennis institueretur, & tamdiu durare Imperium, quam diu ignis fuisset inextinctus. Thom. Dempster. in Paralipom. ad lib. 2. c. 12. Rosini. p. 325.* Wenn eine Vestalische Jungfrau das ewige Feuer unvorsichtig außläschen ließ / ward sie mit Rutten gestrichen. *Valer. Maxim. lib. 1. cap. 1. tit. 7. Licinio Pontifici Max. Virgo Vestalis, quia quadam nocte parum diligens æterni ignis custos fuisset, digna visa est, quæ flagro admoveretur. Obsequens de Prodig. c. 26. Vestæ penetralis ignis extinctus, virgo jussu Æmilii Pontificis Max. flagro cæsa.*

74 *Simulacrum Vestæ pingebatur formâ Mulieris sedentis & gestantis Tympanum quod terra ventos in se contineat. Rosin. de Antiqu. Rom. lib. 2. c. 12. p.m. 331.*

75 Die Römer hielten darfür: Es habe *Dardanus* aus *Samo*-Thracien / als er *Troja* gebauet / das Bildnüs der Göttin *Minerva* oder das so genennte *Palladium* als ein Zeichen: Daß / so lange es daselbst wäre / die Stadt ewig bleiben solle / dahin gebracht. Dises habe *Æneas* bey Einäscherung der Stadt *Troja* (indem die Grichen nur ein falsch-nachgemachtes bekommen hetten) nebst dem ewigen Feuer weggenommen und mit sich in Italien bracht / welches von *Alba* hernach nach Rom kommen. Besiehe *Rosin. dict. loc.* Dis war nun das Fürnehmste des *Vesta*lischen Heyligthums. Darvon redet *Silius Italic. lib. 1. Punic.*

Et vos virgineâ lucentes semper in arâ
Laomedontéæ Trojana Altaria flammæ.

M. Lucan. lib. 9.

Dî Cinerum, Phrygias colitis quicunqque ruinas.
Æneæqque mei, quos nunc Lavinia sedes
Servat, & Alba Lares, & quorum lucet in Aris
Ignis adhuc Phrygius, nulliqque aspecta Virorum
Pallas, in abstruso pignus memorabile Templo.

Virg. 2. Æneid. von *Æneâ.*

Vestamqque potentem
æternumqque adytis essert penetralibus Ignem.

Derogleichen *Fatum Regni* war bey den Argivern der güldene Widder / welchen *Thyestes* dem *Atreus* entführet. Besiehe *Senec. in Thyest. act. 2. vers. 222. seqq.*

76 Die Römer hielten darfür: Es habe *Dardanus* aus *Samo*-Thracien / als er *Troja* gebauet / das Bildnüs der Göttin *Minerva* oder das so genennte *Palladium* als ein Zeichen: Daß / so lange es daselbst wäre / die Stadt ewig bleiben solle / dahin gebracht. Dises habe *Æneas* bey Einäscherung der Stadt *Troja* (indem die Grichen nur ein falsch-nachgemachtes bekommen hetten) nebst dem ewigen Feuer weggenommen und mit sich in Italien bracht / welches von *Alba* hernach nach Rom kommen. Besiehe *Rosin. dict. loc.* Dis war nun das Fürnehmste des *Vesta*lischen Heyligthums. Darvon redet *Silius Italic. lib. 1. Punic.*

Et vos virgineâ lucentes semper in arâ
Laomedontéæ Trojana Altaria flammæ.

M. Lucan. lib. 9.

Dî Cinerum, Phrygias colitis quicunqque ruinas.
Æneæqque mei, quos nunc Lavinia sedes
Servat, & Alba Lares, & quorum lucet in Aris
Ignis adhuc Phrygius, nulliqque aspecta Virorum

Pallas, in abstruso pignus memorabile Templo.

Virg. 2. Æneid. von *Æneâ.*

Vestamqque potentem
æternumqque adytis essert penetralibus Ignem.

Derogleichen *Fatum Regni* war bey den Argivern der güldene Widder / welchen *Thyestes* dem *Atreus* entführet. Besiehe *Senec. in Thyest. act. 2. vers. 222. seqq.*

77 Das Geschlechte der Julier führte seinen Uhrsprung vom *Æneas* und der *Venus,* mit welcher er den *Julius* gezeuget. Also redet *C. Jul. Cæsar* beim *Sueton. in ejus Vitâ. c. 6. Amitæ meæ Juliæ maternum genusm ab Regibus ortum, paternum cum Diîs immortalibus conjunctum est. Nam ab Anco Martio sunt Reges, quo nomine fuit Mater: à Venere Julii, cujus gentis familia est nostra.* Darauf zielet *Tacit. 4. Ann. c. 43. Segestani ædem Veneris montem apud Erycum vetustate delapsam restaurari postulavêre; nota memorantes de origine ejus & læta Tiberio, suscepit curam libens tanquam consanguineus.*

78 Nemlich *Rubria* die Nero genothzwängt. *Suet. in Ner. c. 28.* Käyser *Avitus* heyrathete gar eine *Vesta*lische Jungfrau / die *Aquilia Severa* hieß / vorgebende: Daß von ihm als dem Obersten Priester und ihr als einer Priesterin Göttliche Kinder gebohren würden. *Xiphilin. in Avito. p. 368.*

79 Die *Vesta*lischen Jungfrauen trugen eine besondere Haube und Schleyer / welche *Festus Pomp. lib. 17.* also beschreibet: *Suffibulum vestimentum album prætextum quadrangulum oblongum, quod in Capite Vestales Virgines sacrificantes habebant, idqque fibula comprehendebatur.* Und *M. Lucan. l. 1. Phars. v. 596.*

Vestalemqque chorum ducit vittata Sacerdos
Trojanam soli cui fas vidisse Minervam.

80 *Dictys Cretensis* im 5. Buche vom Trojanischen Kriege / mir auf der 127. Seite erzehlt: Daß den Tag für der Nacht / da *Antenor* das *Palladium* dem Priester *Theano* abgeredet und den Grichen geliefert / der dem *Apollo* und der *Minerva* opffernden *Hecube* alle Feuer ausgeläschet wären / welches alsbald für ein Zeichen der erzörnten Götter und des Trojanischen Untergangs von der weissagenden *Cassandra* gehalten worden.

81 Die Trojanischen Maurem sol *Neptunus* und *Apollo* gebaut haben. Dahero *Dictys* an obigem Orthe auf der *132.* Seite: *Ita inviolatum multis tempestatibus Murorum opus Neptuniqque atque Apollinis maxima Monumenta multo delectu Civium manibus dissolvuntur.*

82 Die Römer hielten darfür: Es habe *Dardanus* aus *Samo*-Thracien / als er *Troja* gebauet / das Bildnüs der Göttin *Minerva* oder das so genennte *Palladium* als ein Zeichen: Daß / so lange es daselbst wäre / die Stadt ewig bleiben solle / dahin gebracht. Dises habe *Æneas* bey Einäscherung der Stadt *Troja* (indem die Grichen nur ein falsch-nachgemachtes bekommen hetten) nebst dem ewigen Feuer weggenommen und mit sich in Italien bracht / welches von *Alba* hernach nach Rom kommen. Besiehe *Rosin. dict. loc.* Dis war nun das Fürnehmste des *Vesta*lischen Heyligthums. Darvon redet *Silius Italic. lib. 1. Punic.*

Et vos virgineâ lucentes semper in arâ
Laomedontéæ Trojana Altaria flammæ.

M. Lucan. lib. 9.

Dî Cinerum, Phrygias colitis quicunqque ruinas.
Æneæqque mei, quos nunc Lavinia sedes
Servat, & Alba Lares, & quorum lucet in Aris
Ignis adhuc Phrygius, nulliqque aspecta Virorum
Pallas, in abstruso pignus memorabile Templo.

Virg. 2. Æneid. von *Æneâ.*

Vestamqque potentem
æternumqque adytis essert penetralibus Ignem.

Derogleichen *Fatum Regni* war bey den Argivern der güldene Widder / welchen *Thyestes* dem *Atreus* entführet. Besiehe *Senec. in Thyest. act. 2. vers. 222. seqq.*

83 Dise Wunderzeichen / welche den Untergang des *Nero* und des Julischen Geschlechtes bedeutet / beschreibet *Sueton. in Galbâ. c. 1.* Auf die hierbeschriebene Zeit und Orth zielet genau *Tacit. 13. Ann. c. ult. Eodem annô Ruminalem arborem in Comitio, quæ super octingentos & quadraginta ante annos Remi Romuliqque Infantiam texerat, mortuis ramalibus & arescente trunco deminutam, prodigii loco habitum est, donec in novos foetüs revivisceret.* Derogleichen erzehlet *Johan Tzezes Hist. Chil. 4. de Fico Logothetæ cuidam unicè dilectâ, (sic ut nemini alii ex eâ esse fructum liceret) quæ die mortis exaruit, & postridiè à summo ad imum fidit se.*

84 Welcherley Gestalt mit einer *Vesta*lischen Jungfrau / die ihre Keuschheit versehret / sey umbgegangen worden / beschreibet außführlich *Thomaso Porcacchi ne' Funerali antichi alla Tavola IV. p.m. 24.* Welches ich aus dem Welschen also deutsch gegeben: Sie banden sie auf eine Baare / verdeckten sie von außen also: daß man auch ihre Stimme nicht vernahm; trugen sie mitten über den Platz vom Tempel der *Vesta* an bis zum Thor / welches *Porta Collina* genennt ward / ihre Eltern und Freunde beweinten sie als eine Todte. Hinter ihr giengen die Priester traurig und stille. Beym Thore inner der Mauer war ein Hügel (den man noch heutiges Tages auff der lincken Hand / wenn man zum Thore geht / sihet) daselbst war das Begräbnüs diser Unzüchtigen. Unten war ein Gemach / darein man durch ein Loch auf einer Leiter stieg. Daselbst worden der Unkeuschen die Binden loß gemacht / das Haupt ihr verhüllet / und nachdem der oberste Priester ihr etliche geheime Worte gesagt /auch ihr nebst den andern Priestern den Rücken gekehret hatte / führte sie der Scharffrichter alleine hinunter / die Leiter ward weggenommen / und das Loch zugemacht. Damit es auch nicht schiene / als wenn sie für Hunger gestorben wäre / ward ein wenig Brodt /Wasser / Milch und Oele hingesätzt; ein Bette zubereitet und ein Licht angezündet. Als dis geschehen /giengen die Priester fort / und selbiger Tag ward in der Stadt gefeyert /

welche dahero sehr bestürtzt war /weil sie dafür hielten: Daß derogleichen Zufall dem gemeinen Wesen ein großes Unglück verkündigte. Dis / was von Milch und Brodt er erzehlet / führet weitläufig aus *Dempster. ad Rosin. l. 2. c. 12. p.m. 338.*

85 Welcher Gestalt die Heyden / wenn sie opfern wollen / sich mit geweyhtem Waßer bespritzet / und von begangenen schweren Mißethaten mit Schweinblutte gereinigt haben / führet aus *Natal. Comes in Mytholog. lib. 1. c. 14. p.m. 48. seqq.*

86 Zu denen *Vestalischen* Opfern taugte nicht iedwedes Wasser / sondern es muste aus dem Fluße *Numicus* geholet werden. *Serv. ad lib. 7. Æneid.*

hæc fontis stagna Numici.

darinnen *Æneas* sol umbkommen seyn. *Taubman. ad eund. loc.*

87 Die Heyden haben getichtet: Daß sich *Juno* alle Jahr im *Archivi*schen Brunnen *Canatho* gebadet / und dardurch allezeit die Jungfrauschafft wieder erlanget habe. *Lysimach. Alexandrin. lib. 1. Rer. Theban.*

88 Welcher Gestalt die Heyden / wenn sie opfern wollen / sich mit geweyhtem Waßer bespritzet / und von begangenen schweren Mißethaten mit Schweinblutte gereinigt haben / führet aus *Natal. Comes in Mytholog. lib. 1. c. 14. p.m. 48. seqq.*

89 Weil die Arth das ausgeläschte *Vestali*sche Feuer wieder anzuzünden sehr seltzam scheint / wil ich des *Porcacchi ne' Funerali antichi p.m. 21.* eigene Beschreibungs-Wortte hersetzen: *E' d'avertire, che come s'era ammorzato (il fuoco); non era punto lecito racenderlo con altro fuoco: mà con grandissime preghiere cercando di placar la Deità di Vesta; con molti sacrifici cavavano il nuovo fuoco da' raggi del Sole, accendende fiamma pura & immaculata con un vaso pieno d'acqua opposto al Sole.*

90 *Quod in Vestæ Sacrificiis sal rufum tantum offerebatur, quodqque in Calicibus fictilibus asservabatur, docet Lil. Gyrald. Syntagm. Deor. gentil. 17.*

Die Dritte Abhandlung.

91 Also zierten die Römer ihre Haare. *Julius Capitolinus in Vero: Dicitur sanè tantam habuisse curam flaventium capillorum, ut capiti auri ramenta respergeret, quo magis coma illuminata flavesceret. Æ. Lampridius: Fuit capillo semper fucato & auri ramentis illuminato.*

92 *Tac. 14. Ann. c. 2. n. 4. quæ puellaribus annis stuprum cum Lepido spe Dominationis admiserat, pari cupidine usqque ad libita Pallantis provoluta. Et 12. Ann. c. 25. n. 1. & c. 65. n. 4. Pallante adulterô, ne quis ambigat, decus, pudorem, corpus, cuncta regno viliora habere.*

93 *Xiphilin. in Neron. p.m. 162.* erzehlt: Daß Agrippine / als sie gesehen: Daß Nero die Sabine Poppee so wie Otho brauche / aus Frucht: er möchte sie heyrathen / den Nero mit Zauberey und geilen Blicken /mit welchen sie auch den Claudius verlibt gemacht /in ihren Willen zu bringen sich bemühet habe. Wiewol er es für gewis nicht ausgeben wil / vermerckende: Daß Nero eine / welche der Agrippinen sehr ehnlich gewest / heftig gelibt / und dannenhero: Daß er mit seiner Mutter buhlete / vorgegeben habe. Diese hier eingeführte Umbstände beschreibt außführlicher *Tacit. 14. Ann. c. 2.* allwo er auch ex *Fabio Rustico* anzeucht: Daß Nero der Agrippinen Bluttschande angemuttet habe. Welches *Sueton. c. 28. in Nerone* bestätigt / beysätzende: *Olim etiam quoties lectica cum matre veheretur, libidinatum incestè ac maculis restis proditum affirmant.*

94 Dis seltzame erzehlet *Ferrante Pallavicino nel Panegir. di Venetia. p.m. 52. Nelle bionde chiome, nell' inanellato crine, quasi in rete ei rimase preso: rassomigliando quel pesce, che arde nell' acque, nè altrimente si prende, che con rete fabricata di capelli di Donna.*

95 *Tac. 14. Annal. c. 2. n. 2.*

96 *Castitatem Ciconiarum refert Franzius Hist. Animal. part. 2. cap. 6. p.m. 384.*

97 Mit des Brudern Tochter sich verheyrathen / war eine Bluttschande. *§. 3. Inst. de nupt. l. 56. ff. de rit. nupt.* Damit nun *Claudius* Agrippinen seines Brüdern *Germanici* Tochter heyrathen konte / forderte er vom Rathe einen Schluß: *Quo justæ inter patruos fratrumqque filias nuptiæ etiam in posterum statuerentur. Neqque tamen repertus est, nisi unus talis matrimonii cupitor, Talledius Severus Eques Romanus, quem pleriqque Agrippinæ gratiâ impulsum ferebant. Tac. 12. Annal. c. 7. n. 2.* dis *SC.* ist zwar von *Nerva* aufgehoben und verordnet worden: Daß kein adelpidh oder Geschwister-Kind solle geheyrathet werden: *Xiphilin. in Nervâ. p.m. 241.* alleine es hat *Antoninus Pius* darmit bald selbst wieder gebrochen /da er seinem Bruder seine Tochter vermählet. *Capitolinus.*

98 Diese Verliebte waren Bruder und Schwester. *Naso* hat ein schön Sendschreiben der *Canace* an den *Macareus in Heroid.*

99 Die Geschichte ist berühmt: Daß sich *Antiochus* in des *Seleucus* seines Vätern Gemahlin *Stratonice* verlibet: Daß er auch todtkranck darüber worden. Welches der Artzt *Erasistratus* wahrgenommen und dem *Seleucus* offenbaret / darauf er seinem Sohne die Gemahlin abgetreten. *Appian. in Syriaco.* Dise Geschichte führet artlich ein *Petrarca nel cap. 2. del Trionfo d' Amore. p.m. 168.*

100 *Arnobius contra gentes l. 8. Jus est apud Persas misceri cum Matribus: Ægyptiis & Athenis cum sororibus legitima connubia. Memoria & Tragoediæ vestræ incestis gloriantur, quas vos libenter & legitis & auditis: sic & Deos colitis incestos cum Matre, cum Filia, cum Sorore conjunctos.*

101 Hiervon redet die gantze *Præfatio Æmilii Probi.*

102 Von der großen Königin zu Babylon *Semiramis* ist bekandt: Daß sie ihr Sohn Ninus / welchem sie Bluttschande angemuthet / getödtet habe. *Justin. lib. 1.* Sie sol in eine Taube seyn verwandelt worden / dahero die Babylonier eine Taube in ihrem Wapen und Fahnen geführet / wie aus *Diodor. Sicul. Athan. Kircher. Oedip. Ægypt. tom. 2. part. 1. c. 3. p. 26.* anführet.

103 *Sueton. in Neron. c. 34.*

104 *Sueton. d.l. Tac. 14. Ann. c. 3. 4.*

105 *Suet. d.l.c. 34. Atqque ita conciliatione simulatâ jucundissimis litteris Bajas evocavit ad solennia Quinquatrium simul celebranda. Tac. 14. Ann. c. 4. n. 1. Naso de his quinqque diebus:*

Sanguine prima vacat: nec fas concurrere ferro.
Causa, quod est illâ, nata Minerva die.
Altera tresqque super rasâ celebratur arenâ,
Ensibus exsertis bellica læta Dea est.

106 Dis hat *C. Caligula* gethan. *Nam Bajarum medium intervallum Puteolanas ad moles trium milium & sexcentorum ferè passum ponte conjunxit, contractis undiqque onerariis navibus & ordine duplici ad anchoras collocatis, superjectoqque aggere terreno ac directo in Appiæ viæ formam. Scio plerosqque æstimasse, talem à Cajo pontem excogitatum æmulatione Xerxis, qui non sine admiratione aliquanto angustiorem Hellespontum contabulaverit. &c. Sueton. in Caligul. c. 19.*

107 Diese Bajanischen Bäder beschreibet außführlich *Scipione Mazzella nell' Antichità di Pozzuolo cap. 20. 21.* Von dem Uhrsprunge derselben hat er daselbst ein schön *Epigramma* des *Matteo Faëtano.*

Dum Bajis dormiret Amor prope littus in umbrâ

murmure detentus lene fluentis aquæ;
conspexêre illum Nymphæ multo igne coruscum,
& raptas lymphis supposuêre faces.
Quis gelidum credat subitò exarsisse liquorem
atqque inde æternos emicuisse focos?
Nec mirum, his flammis, toties quibus arserat æther,
vos quoqque perpetuum si caluistis aquæ.

Welches ich also versetzet:
Die Liebe schlief bey Baj' am schattichten Gestade /
Gereitzet durch den Rausch der linden Silber-flutt.
Als ihn die Nymphen sahn umbstrahlt von so viel Glutt /
Versteckten sie alsbald die Fackeln ihm im Bade.
Hiervon ward alsobald das kalte Kwäll entzündet /
Die Flammen brachen für. Wer dis nicht glauben kan /
Der wisse: Daß der Brand oft steckt den Himmel an /
Von dem man stete Wärmbd in diesen Waßern findet.

108 Daß Nero beim Abschiede der Mutter Augen und Hände geküßt habe / erzehlt *Xiphil. in Neron. p.m. 163.* Von den Augen und Brüsten *Tacit. 14. Annal. 4. n. 5. Sueton. in Neron. c. 34.*

109 Disen Schiffbruch / und wie *Creperejus Gallus* und *Aceronia* umbkommen / beschreibt ausführlich *Tacit. 14. Ann. c. 5.*

110 Das Gedichte von dem Lauten-schläger *Arion:* Daß selbigen ein Delfin oder Meerschwein solle durch die Wellen getragen und aus der Seeräuber Händen errettet haben / ist gemein und von *Ovidio* beschrieben *lib. 2. de Fastis. Gelio. l. 17. c. 19.* Dis aber ist etwas seltzames / was *Plinius lib. 9. cap. 8. Solinus. c. 17.* für wahrhaftig ausgibt / erzehlende: *Divo Augustô Principe in Campania Delphinem puer fragmentis panis primo allexit & in tantum consuetudo valuit, ut alendum se etiam manibus crederet. Mox cum*

profluxisset pueri audacia, intra spatia eum Lucrini Lacûs vectitavit, unde essectum ut à Bajano littore equitantem puerum Puteolos usqque perveheret. Hoc per annos plurimos tamdiu gestum est, donec assiduo spectaculo desineret miraculum esse, quod gerebatur. Sed ubi obiit puer, sub oculis publicis desiderii moerore Delphin interiit. Pigeret hoc asseverare, ni Mecænatis & Fabiani multorumqque præterea esset literis comprehensum. Eben dis bestetigt *A. Gellius lib. 7. c. 8.* Ein gleichmäßiges Exempel von einem Delfin bey der Stadt Proselene in Ionien / welcher einen Knaben / der ihn geheilet / durch das Meer geführt / erzehlt aus *Pausania Mazzella nell' Antichità di Pozzuolo cap. 15. p. 51.*

Die vierdte Abhandlung.

111 *Zonaras* und *Xiphilin. in Neron. p. 166.* meldet: Es habe Nero des Britannicus Leiche / als welche von empfangenem Gifte fleckicht war / mit Gipse überstreichen lassen / beim Begräbnüße aber habe ein großer Platz-Regen die Farbe abgewaschen / und also dises Mord-Stücke verrathen.

112 Dieses und alles nachfolgende beschreibt *Tac. 14. Ann. c. 5. 6. 7. 8.*

113 Wie diser seine Mutter / welche zuvor nebst ihrem Ehbrecher *Ægisthus* ihren Ehmann den *Agamemnon,* umbbracht habe / verführet weitläuftig *Sophocles in Electra,* und *Euripides in Oreste.*

114 In Anmerckung deßen / ward von den Römern /als Nero nach dem Mutter-Morde nach Rom kam / an seine Bildnüße ein Sack / darein die Eltern-Mörder gesteckt worden / *l. un. C. de his qui parentes vel libr. occid.* gehencket und öffentlich angeschrieben.
Neron, AOresths, AAlkmaion, mhtroktonoi,

Nero, Orestes, Alcmæon matricidæ. Xiphil. in Ner. p.m. 165.

115 Hieher gehören die schönen Worte *Lipsii de Constant. lib. 1. cap. 16. Omnia ista, quæ suspicis, quæ miraris, vicibus suis aut pereunt aut certè mutantur. Solem illum vides?*

deficit. Lunam? laborat & tabescit. Sidera? labuntur & cadunt. Et ut velet atit excuset hæc Ingenium humanum: evenêre tamen in coelesti illo corpore & evenient, quæ Mathematicis legem omnem frangant & mentem. Cometas omitto, variâ formâ, vario situ & motu: quos omnes ab aëre & in illo esse, haud facilè imponat mihi Lyceum: sed ecce nuper negotium Astrologis fecêre motus quidam novi deprehensi, & novæ stellæ. Sidus exortum hoc ipso anno: cujus Incrementa & Demmenta clarè observata; vidimusqque (difficulter creditum) in coelo ipso nasci aliquid posse & mori. Quin Varro ecce apud Augustinum clamat & asserit, stellam Veneris, quarn Plautus Vesperuginem, Homerus esperon *appellat, colorem mutasse, magnitudinem, figuram, cursum.*

Die fünffte Abhandlung.

116 *Schild. in Not. ad Sueton. in Neron. c. 5. p. 576. n. 6.* beschreibet der Agrippine Leben kurtz also; *Hæc optimi Parentis pessima filia primùm Passieno Crispo bis Consuli nupta, inde Cn. Domitio à Tiberio tradita defuncto marito, sollicitatis nequicquam Galbæ nuptiis, tandem in Caji fratris foedissimo contubernio vixit. A quo mox exoletis objecta atqque in exilium acta, cum rediisset, patruo suo Claudio post Messalinæ necem incestis nuptiis conjuncta, partô tot Parricidiis Neroni filio Imperio, ab eodem interfecta periit.*

117 *Cæterum objecta sunt: quod conjugium Principis devotionibus petivisset. Tac. 12. Ann. c. 65. n. 1.*

118 Von diesem Welt-berühmten Welt-weisen meldet *Xiphil. in Neron. p.m. 161.* Er habe mit der Agrippine zu thun gehabt / er habe fast in allem ein anders gethan / ein anders gelehret. Er habe getadelt die Tyranney / und sey eines Tyrannen Lehrmeister gewest: er habe gescholten die mit Fürsten umbgiengen / und er sey selten vom Palaste wegkommen. Er habe die Heuchler verflucht / und er habe Königinnen und Freygelaßenen Lob-Reden verfertigt. Er habe die Reichen gestrafft / und er habe *ter millies sestertiûm,* welches *7500000.* Philipsthaler nach *Lipsii* Rechnung macht / vermocht: Er habe anderer Leute Uberfluß verdammet / und er habe *500.* Cederne Taffeln mit Helffenbeinernen Gestülen gehabt. Und *p. 162.* meldet er vom Seneca / er habe den Nero zum Mutter-morde

angefrischet: inA os taxista kai pros teon kai hros antropon apolhtai. Daß ihn desto ehe Götter und Menschen stürtzen solten.

119 *Tacit. 12. Annal. c. 22.*

120 *Tacit. 12. Ann. c. 59.*

121 Wie Agrippine disen ihren Gemahl mit vergifteten Schwämmen hingerichtet / beschreibt *Tac. 12. Ann. c. 67.* Dahero Nero deßhalben / weil *Claudius* vergöttert worden: *Tac. ib. c. 69. n. 4.* Die Schwämme eine Speise der Götter hieß. *Sueton. in Neron. c. 33.*

122 *Tacit. 14. Ann. c. 8. n. 4.*

123 *Hunc fui finem multos ante annos crediderat Agrippina, contemseratqque. Nam consulenti super Nerone, responderunt Chaldæi; fore, ut imperaret, matremque occideret; atque illa, occidat, inquit, dum imperet. Tac. 14. Ann. c. 9. n. 4.*

124 *Tac. 14. Ann. c. 8. n. 5.*

125 Dises alles hat *Tacit. 14. Ann. c. 9. n. 5. 6. Xiphilin. in Neron. p. 164.* meldet noch: Daß Agrippine vom Bette aufgesprungen sey / sich entblößt und das Kleid zerrissen habe / sagende: Durchstich den Bauch / denn er hat den Nero gebohren.

126 Also wiedmete *Nero* des *Scevini* Dolch *Jovi Vindici. Tac. 15. Ann. c. 74. n. 3.*

127 *Tac. 14. Ann. c. 9. n. 1.* sätzet es zweifelhaft: Ob Nero seine todte Mutter besehen habe. *Xiphilin. in Neron. p. 164.* meldet dis / daß er sie gantz entblößet nebst den Wunden wol betrachtet / und nebst anderen liederlichen Reden gesagt habe: Oyk hpdein oti oyto kalhn mhtera eixon. Ich wuste nicht: Daß ich eine so schöne Mutter hatte. *Sueton. c. 34.* erzehlt: Er habe ihre Glider befühlet / Theils derselbten gelobt / Theils getadelt / auch / weil ihn ein Durst ankommen / getruncken.

128 *Tac. 14. Ann. c. 9. n. 1.* sätzet es zweifelhaft: Ob Nero seine todte Mutter besehen habe. *Xiphilin. in Neron. p. 164.* meldet dis / daß er sie gantz entblößet nebst den Wunden wol betrachtet / und nebst anderen liederlichen Reden gesagt habe: Oyk hpdein oti oyto kalhn mhtera eixon. Ich wuste nicht: Daß ich eine so schöne Mutter hatte. *Sueton. c. 34.* erzehlt: Er habe ihre Glider befühlet / Theils derselbten gelobt / Theils getadelt / auch / weil ihn ein Durst ankommen / getruncken.

129 Alle diese Beschuldigungen hat Nero zu seiner Entschuldigung nach Rom an den Rath geschrieben. *Tac. 14. Ann. c. 11.*

130 *Ergo non jam Nero, cujus immanitas omnium questûs anteibat, sed averso rumore Seneta erat, quod oratione tali confessionem scripsisset. Tac. ib. n. 6.*

131 Alles dises geschah umb der Mutter Thaten und Gedächtnüs verhaßt zu machen. *Tacit. 14. Ann. c. 12. n. 5. 6. 7.*

132 *Miro certamine Procerum decernuntur supplicationes apud omnia pulvinaria, utqque Quinquatrus, quibus apertæ essent insidiæ, ludis annuis celebrarentur, aureum Minervæ simulacrum in Curiâ, & juxta Principis imago statueretur. Dies natalis Agrippinæ inter nefastos esset. Tac. 14. Ann. c. 12. n. 1. 2.*

133 *Cremata est nocte eâdem, convivali lecto & exequiis vilibus, neque, dum Nero rerum potiebatur, congesta aut clausa humo. Mox domesticorum cura, levem tumulum accepit, viam Miseni propter & villam Cæsaris Dictatoris, quæ subjectos sinûs editissima prospectat. Tacit. 14. Ann. c. 9. n. 1. 2.* Welchem aber zu widerstreben scheinet *Xiphil. p. 164.* meldende: Daß Nero oftmals an dem Orthe / wo der Agrippinen Gebeine wären hin vergraben gewest /hette hören Lermen blasen.

134 *Ergo non jam Nero, cujus immanitas omnium questûs anteibat, sed averso rumore Seneta erat, quod oratione tali confessionem scripsisset. Tac. ib. n. 6.*

135 *Loredan. ne' Scherzi Geniali, ni Frine lasciva. p.m. 289. Le dolcezze d'Amore sono cosi soavi, che l'appetiscono anche quegl' animali, che muoiono nel congiungersi.*

136 *Nero sæpè confessus exagitari se maternâ specie. Sueton. in Neron. c. 34.* Also ist auch *Caligula* für seinem Untergange von Gespenstern geplaget worden. *Suet. in Calig. c. 59.* Also hat den Otho der Geist des *Galba* beunruhiget: Dahero er selbten zu versöhnen sich bemühet. *Suet. in Othon. c. 7.* zum *Domitiano* ist / eh er umbbracht ward / der von ihm ermordete *Junius Rusticus* mit einem Degen kommen. *Xiphilin. in Domitian. p.m. 238.* Dem *Bassianus Caracalla* ist nach Ermordung des *Geta* erschienen der Geist des *Commodus* ihn also anredende: steixe dikhs apon. Eile fort zur Straffe. *Dio. lib. 78.*

137 Denn Nero hat sich verzweifelnde selbst ermordet. *Sueton. in Neron. c. 49.*

138 Wie Nero für Furcht sich nach dem Tage gesehnet / und auff des *Burrhus* Veranlassung von seinen Soldaten sey erfrischet worden / beschreibt *Tacit. 14. Ann. c. 10.*

139 *Sueton. in Neron. c. 34. Quin & facto per Magos sacro evocare Manes & exorare tentavit. (Agrippinæ.)*

140 Hierdurch wird gezielet auf der Heyden thörichte *Metempsychosin Pythagoream.* Und gehöret hieher fürnemlich der Orth aus dem *Plato* in *Phædone: Itaque Animæ malorum circa simulacra tamdiu oberrare coguntur, quoad cupiditate naturæ corporeæ comitante rursus induant corpus; induunt autem, ut decet, ejusmodi mores, quales in vitâ exercuerunt; eos quidem, qui ventri dediti per inertiam atque lasciviam vitam egerunt, neqque quicquam pensi pudorisqque habuerunt, decet Asinos similiaqque subire; qui verò injurias, tyrannides, rapinas præ cæteris secuti sunt, in Luporum, Accipitrum, Milvorum genera par est transire: singulis in eas animalium species, quibus in vitâ similes fuerunt, transmigrantibus.* Dieser Meinung sind auch die Hebreer gewesen /welche diese *Metempsichosin* das ist die Verkehrungen der Seelen genennet / maßen sie in ihrer *Cabalâ* aus dem Worte erweisen wollen: Daß die Seele Adams in David / deßen in den Meßiam

gefahren. Wiewol außer dem *Plotino,* andere Weltweise dis alleine für eine *Allegorie* verstelleter Sitten angenommen / besiehe hiervon *Athanas. Kircher. in Oedip. Ægypt. tom. 2. part. 2. cap. 7.*

141 Dis ist auch eine Platonische Lehre: Es habe der Schöpffer der Welt die Seelen in die Sternen gesämet / welche hernach herunter *in sphæram generationis* stiegen / endlich aber / da sie sich in der Welt wol verhalten / eine iede zu ihrem zugeeigneten Gestirne sich empor schwingen. Dahero werden auch den Seelen Flügel zugeeignet. Besiehe den *Plato in Phædro.* Da aber eine Seele mit Lüsten des Leibes sich verunreinigte / solte sie die Flügel verlieren; selbige aber /wenn sie sich nach Himmlischen Dingen sehnete /wieder bekommen. Wie aus *Zoroastrô* lehret *Kircher. Obelisc. Pamphil. l. 2. cap. 10. dist. 2. p.m. 171.*

142 Hieher schicket sich der schöne Orth *Taciti. 3. Ann. c. 76. in fin.* Da er von der *Juniæ* des *C. Cassii* Wittiben Begräbnüße redet: *Viginti clarissimarum Familiarum imagines antelatæ sunt, Manlii, Quinctii, aliaque ejusdem nobilitatis nomina: sed præfulgebant Cassius atque Brutus, eo ipso, quod effigies earum non visebantur.*

143 *Thomas. Porcacchi ne' Funerali antich. alla Tavol. VI.* erzehlet auf der *30.* und nachfolgenden Seiten fast alle in disem Auftritte berührte Gebräuche bey den Käyserlichen Begräbnüßen. Insonderheit aber berichtet er: Daß / wenn ein Käyser sey verbrennt worden / hetten sie zu oberste aus dem Holtzstoße oder dem Gerüste / worauf die Leiche bey ihrer Vergötterung gelegt ward / einen Adler fliegen laßen / gleich ob selbiger die Seele des verstorbenen Käysers in Himmel trüge. Bey Verbrennung der Käyserinnen aber sey ein Pfau heraus geflogen. Deßhalben er auch unterschiedener alten hieher zielenden Müntzen gedencket: als einer der *Sabina Augusta,* darauf ein Adler mit dem Blitz gepregt ist mit der Umbschrifft: *Consecratio.* Auf einer andern Müntze steht *Diva Paulina,* und ein Frauen-Haupt: Auf der andern Seite reitet eine Frau auf einem Pfauen: mit gleicher Uberschrifft: *Consecratio.* Auf einer andern *Divæ Maximinæ* steht ein Frauen-Haupt zwischen den Hörnern des Monden / auf der andern Seite ein sich außbreitender Pfau mit dem Worte:

Consecratio. Eine gleichmäßige Müntze *Divæ Faustinæ* habe auch ich / und eine *Divi Antonini;* da aus einem Gerüste ein Adler fleucht.

144 Dise nicht verbrennende Leinwand / welche zu Einhüllung der Leichen umb die Asche zu unterscheiden gebraucht worden / haben die Römer *Linum vivum* die Grichen asbestinon genennet. *Plin. lib. 19. c. 1.* Weil *Porcacchi ne' Funerali antichi alla Tav. 2. p.m. 11.* eine seltzame Arth dise Leinwand aus einem Steine zu machen erzehlet / wil ich seine Worte hieher sätzen. *Di pietra Amianto si trova sino al giorno d'hoggi in Cipro: & per assottigliar, come il lino, coloro la battevano & maceravano: & poi con le altre eure filata riducevano in tela & ne formavano sacchi ò toniche: nelle quali cugivano ò involgevano ben bene il corpo morto & poi lo mettevano ad ardersi. E la tela formata di questa pietra di qualità sî fatta, che ne pur non abbruccia, ne punto si consuma nel fuoco; mà quanto più vista; tanto più diventa bianca & da ogni macchia purgatissima. Questo conforma egli haver veduto & esperimentato in Venetia in casa del S. Hettore Podocatharo Cavallier Cipriotto l'anno M. DLXVI. che di quella tela haveva.*

145 *Tac. 14. Ann. c. 9. n. 3.*

146 *Cedrenus in Claudia memorat: Apollinem Thianæum arcanorum Ægypti apprimè peritum* Stoixiosai opeis mh plhttein, *characteribus & Sigillis devinxisse serpentes, ne percuterent.* Hierauf zielet *Maro Eclog. 8. v. 71.*

Frigidus in pratis cantando rumpitur anguis.

Ovid. 7. Met.
Vipereas rumpo & verbis & carmine fauces.

Und *Lucilius.*
Jam disrumpetur medius: jam ut morsu Colubros
disrumpit cantu, venas cum extenderit omnes.

147 Hieher gehört der Orth

Virg. 4. Æn. v. 486.
Spargens humida mella, soporiserumqque papaver,
Hæc se Carminibus promittit solvere mentes
quas velit, ast aliis duras immittere curas:
sistere aquam fluviis, & vertere Sidera retro.
Nocturnosque ciet Manes, mugire videbis
sub pedibus terram & descendere montibus ornos.

Und *Tibullus:*
Hanc ego de coelo ducentem sidera vidi,
Fluminis hæc rapidi carmine vertit iter.
Hæc cantu finditqque solum Manesqque sepulchris
elicit, & tepido devocat ossa rogo.

148 Die Zauberischen Weiber besonders in Thessalien gaben für / sie könten mit ihren Liedern / insonderheit mit klingenden Ertzte den Monden vom Himmel bannen. Daher *Aristophanes in Nebulis:*

gynaika parmakidA ei priamenos Tettalhn
kateloimi nyktor thn Selhnhn.

wird ein Theßalisch Weib von mir erkauffet werden /
wil ich bey Nachte zihn den Monde zu der Erden.
Horat. Epod. 17.
Polo deripere Lunam vocibus possum meis:
possum crematos excitare mortuos.

Virg. Ecl. 8. v. 69.
Carmina vel coelo possunt deducere Lunam.

Claudian. 1. Ruff.
novi quo Thessala cantu
eripiat lunare jubar.

Et de bell. Getic.
Thessalidas patrias lunare venenis
incestare jubar.

Auch *Ovid. 2. Amor. 5.*
cantatis Luna laborat Equis.

Sinthemahl / so lange / bis *Anaxagoras* dargethan: Daß die Monden-Finsternüße vom Schatten der Erde herrührten / wie *Laërtius* in seinem Leben meldet /die Menschen selbte für Zaubereyen oder Wunderzeichen gehalten. Für welchem *Nicias* der Athenienser Feldhauptmann also erschrocken: Daß er in einer Schlacht mit *40 000.* Mann erschlagen worden. *Plutarch. in libell. de Superstitione.* Dahero sie mit klingendem Ertzt und angezündeten gegen dem Himmel gesträcketen Fackeln ihm den Schein wieder zu gehen vermeinten. Woher gehört der sonderbare Orth *Plutarch. in Paulo Æmilio.* Ton Pomaion (osper esti nenomismenon) xalkon te patagois anakaloymenon to pos ths Selhnhs ayths kai pyra polla dalois kai dasin anexonton pros ton oyranon, oyden omoion epratton oi Makedones. alla prikh kai tambos to stratopedon kateixen. Als die Römer / ihrer Gewohnheit nach / mit klingenden Ertzte den Schein des Monden widerrufften / viel Feuer und brennenden Fackeln gegen dem Himmel streckten / thäten derogleichen die Macedonier nicht. Alleine Furcht und Schrecken umbgab das. Wie durch derogleichen Monden-Finsternüs ein großer Aufruhr in des *Germanici* Läger in Deutschland sey gestillet worden / beschreibet *Tacit. 1. Annal. c. 28.*

149 Von einem andern noch für der Sündflutt herrschenden Egyptischen Könige erzehlet aus dem *Gelaldin* einem Araber *Kircher. Oed. Ægypt. p. 1. Syntagm. 1. c. 9. p.m. 73. Mesram fuit, sicut cæteri peritus artis Sacerdotalis & Magiæ, ejusqque ope peregit res magnas, & dicitur, quod domuerit Leonem & equitaverit super eum, & dicitur quoqque:*

quod equitante ipso Rege, sedentem in throno dæmones eum portaverint, usqque dum veniret ad medium Oceanum, & posuit ibi arcem candidam & in eo Idolum Solis, inciditqque in eo nomen suum, & qualitatem Regni sui, fecitqque ex ære statuam & incidit in eam: Ego Mesram ille Gyges fortis, & potens revelans secreta & feci talismata varia, & Imagines loquentes constitui, erigendarum Imaginum peritus, &c. Dieses erzehlet auch also aus ihm *Jonston. in Polyhistor. lib. 1. cap. 2. art. 1.* Derogleichen redendes Bild soll ohne Zauberey *Albertus M.* gemacht / *Thomas Aquinas* aber / welcher darüber erschrocken /zerschlagen haben. *Thom. Lans. Consult. pro German. p. 50.*

150 *Pythagoras* solle in einem Spiegel mit Blutte haben können schreiben / was er gewolt / also daß es der / der für ihm gestanden / habe im vollen Monden lesen können. Nach deßen Erfindung *Cornelius Agrippa* in seiner geheimen Welt-Weißheit auch eines Mittels gedencket: Daß einer / der weit von uns entfernet ist / alles was wir wollen im Monden lesen könne. Maßen zur Zeit / als *Carolus V.* und *Franciscus 1.* wegen Meyland zusammen kriegten / man durch dis Kunststück dis / was des Tages zu Meyland geschehen / des Nachts zu Paris im Monden gelesen habe. *Natal. Comes. Mythol. lib. 3. c. 17. p.m. 253.*

151 Hieher gehört der Orth

Virg. 4. Æn. v. 486.
Spargens humida mella, soporiserumqque papaver,
Hæc se Carminibus promittit solvere mentes
quas velit, ast aliis duras immittere curas:
sistere aquam fluviis, & vertere Sidera retro.
Nocturnosque ciet Manes, mugire videbis
sub pedibus terram & descendere montibus ornos.

Und *Tibullus:*
Hanc ego de coelo ducentem sidera vidi,
Fluminis hæc rapidi carmine vertit iter.
Hæc cantu finditqque solum Manesqque sepulchris

elicit, & tepido devocat ossa rogo.

152 Derogleichen bluttiges Zauber-Opffer hat Käyser *Avitus* auch seinem *Heliogabalo* bracht paidas spagiazomenos kai magganeymasi xromenos. *Xiphilin. in Avito. p.m. 368.*

153 Bey derogleichen Abgöttischen Heyligthümern dorsten sie nicht iedwede Kleider tragen. Deßen gedenckt *Eusebius lib. 5. præparat. Evang. Lineas jubet deleri, ut abeat, has enim se retinere & aliam figuram vestitûs, qui fert simulacra Deorum.*

154
Virgil. d.l. 4. Æn. v. 513.
Falcibus & messæ ad Lunam quæruntur ahenis
pubentes herbæ, nigri eum lacte veneni.

Lucan. lib. 6.
Donec suppositas propior despumet in herbas Luna.

Val. Flacc. lib. 6.
Quamvis Athraciâ Lunam spumare veneno sciret.

155 Zu dieses Orthes Erklärung dienet / was aus *Joseph Ben Gorion l. 1. c. 4. Kircher. Oed. Ægypt. p. 1. Syntagm. 1. c. 10. p.m. 101.* anziht. *Nectanebus Rex Ægypti fuit Magus & incantator maximus. Inter cæteras divinationes & magicas Incantationes (Leucanomantiam) quæ in pelvi aquâ plenâ exhiberi solent, exercuit. Nam cum Artaxerxes Ochus in procinctu esset ad Ægyptum occupandam, Nectanebus, cum per oracula ejusmodi magica comperisset, Ægyptiaci Imperii per Ochum destructionem ingenti auri & pretiosorum Lapidum vi convasatâ, simulatoqque habitu in Macedoniam fugit, ubi magicis Exercitiis Olympia Philippi Macedonis Conjuge fascinatâ, cum ei persuasisset, futurum ut ex Deo Hammone Filium conciperet, qui universo Orbi imperaret: Ipse sub formâ dicti Hammonis (cujus speciem Olympia per Incantationes in somno jam exhibuerat) Reginæ concumbens generavit filium, qui posteà ob rerum gestarum gloriam Alexander Magnus*

dictus est. Monsieur de Balzac au livre nommé le Barbon p.m. 365. 366. wil hiervon wenig halten /sagende: *Il (le Barbon) rompt la teste à tout le Monde des aventures prodigieuses d'un Nectabis ou Nectanebo Roy d'Egypte; qui par le moyen d'une herbe inconnuë & de quelques fleurs enchantées dont il bailla un bouquet à la Reyne Olympias, lui fit accroire qu'il estoit Jupiter Hammon, & entra sous ce masque dans sa plus estroite & derniere confidence.* Kurtz darnach erzehlet er von ihm dise seltzame Geschichte / die er aber nicht Glaubens werth schätzet. *Le Roy Nectabis ayant esté averty de la venue d'une grande Flotte ennemie, qui paroissoit sur les costes de son Royaume: sans armer pas un de ses sujets, sans donner seulement l' allarme aux Officiers de sa maison, sans partir de son cabinet, ni mesme de sa ruelle de lict, coula luy seul à fonds cette grande Flotte, qui menacoit ces Estats, & voicy comment. Il se fit apporter une Houssine d'ébene, un bassin plein d'eau du Nil, & une masse de cire vierge, de la quelle il forma quantité des Marmouzets, qui representoient la flotte en petit; Et à mesme temps qu'avec la Houssine il renversa les Marmouzets dans le Bassin, l' Armée navale des Ennemis fit naufrage sur la Mer.*

156 *Verbena.* Von deßen Gebrauch sihe *Plin. lib. 26. c. 4.*

157 *Hippomanes. Plin. lib. 28. c. 11. & lib. 8. c. 42. Censent Equis innasci amoris veneficium Hippomanes appellatum, in fronte, caricæ magnitudine, colore nigro: quod statim edito partu devorat foeta: aut partum ad ubera non admittit, si quis præreptum habeat.*

Virgil. 4. Æneid. v. 515.
Quæritur & nascentis Equi de fronte revulsus
& matri præreptus Amor.

Wiewol dis daselbst *Dido* nicht zu der / sondern wider die Liebe gebraucht. *Etenim sec. Turneb. lib. 15. c. 8. Hippomanes medicamento adhibitum vim Amoris habet, sed igni mandatum exustumqque amorem penitus abolet.* Es wird disem Giffte sonst auch ein ander Uhrsprung zugeeignet / davon
Virg. Georg. v. 280.

Hinc demum Hippomanes vero quod nomine dicunt,
Pastores, lentum distillat ab inguine virus.
Hippomanes, quod sæpè malæ legêre novercæ
miscueruntque herbas & non innoxia verba.

158 *Æthiopis herbâ amnes ac stagna siccari conjectu, tactu omnia clausa aperiri opinabantur. Athanas. Kirch. Oed. Ægypt. tom. 2. part. 2. class. 11. cap. 2. p.m. 440.*

159 *Proclus libr. de Sacrificiis & Magiâ: Nonnunquam herba una vel Lapis unus ad divinum sufficit opus. Sufficit enim Cnebison, id est, Carduus ad subitam Numinis alicujus apparitionem, ad custodiam verò Laurus, Ricinus, Cæpa, Squilla, Corallus, Adamas, Jaspis; sed ad præsagium Cor Talpæ; ad purificationem verò sulphur & aqua marina. &c.*

160 *Plutarch. lib. de Fluminib. In Chelydone Ætolia monte herba Myops nascitur, quâ, si quis in aquam injectâ lavet vultum, excæcabitur; si Dianam placaverit, visum recuperabit. Zaolus herba in vinum injecta illud in aquam convertet.*

161 *Herba Osirite, quam divinam non in vivos modò sed etiam in mortuos habere potentiam rebantur, umbras ad percunctandum usos Ægyptios, Plinius testatur lib. 30. cap. 2.*

162 *Callisthenes de reb. Alexandr. meminit: Nectanebum Regem Ægypti herbam ex solitudine accepisse, quam efficacem ad somnia movenda esse sciebat, qui ex eâ succum exprimens fecit imagunculam ex cerâ muliebrem, eiqque nomen in scripsit Olympiadis, accensâqque lucernâ ex herba, Dæmones Execrationibus ad eam rem idoneos invocabat, ut Olympias sibi videretur Hammonis amplexibus frui.*

163 *Autore Zoroastre, herbam Adiantum contra fascinationem nido suo imponit Upupa. Tametsi Horus alium Adianti usum in Upupa monstret, quod & Ælianus docet, qui ei vim quandam tribuit reserativam. Kircher. Obel. Pamph. l. 4. Hierogrammatismo 15. p.m. 331.*

164 *Ægyptii Mentastro utebantur ad cognoscendum in cujus Planetæ tutelâ sis; modum operandi vid. apud Apulej. cap. 9. de virib. herbar. Utebantur & moly, mithridatio, scordoti & centaureo magicis herbis suis in sacrificiis, Plinio teste lib. 25. cap. 10. Kircher. Oed. Ægypt. tom. 2. part. 2. cl. 11. c. 2.*

165 *Taubman. ad v. 508. Effigiemqque toro locat. 4. Æneid. Virg. p.m. 600. In Sacris Stygialibus à Sagis Effigies etiam cerea similis ei, quem devovebant, ponebatur: aut etiam Laminæ in ejusdem similitudinem effictæ, quæ Ipsullices vel potiùs Ipsiplices* aytoptnkta pylla *vel etiam Auriplices vocabantur.*

166 *Veneficiis Lunam præsse censebant ac quadam salivâ & spumâ herbas inficere.*

Dahero *Ovid. 7. Met. de Medea.*
Addidit exceptas Lima de nocte pruinas.

167 *Sanandorum Oculorum ratione herba* apo toy ierakos *Hieracium seu Accipitrina herba sic dicta. Collyrium absolutissimum manifestat. Hujus enim Accipiter avulsæ scalptæqque succo oculos inungens oblinensqque deperditam oculorum aciem in integrum restituit, pristinamqque claritatem recuperat. Vocatur vulgò Dens Leonis. Kircher. Obel. Pamph. lib. 4. Hierogramm. 10. p.m. 313.*

168 *Plutarch. lib. de Fluminib. In Chelydone Ætolia monte herba Myops nascitur, quâ, si quis in aquam injectâ lavet vultum, excæcabitur; si Dianam placaverit, visum recuperabit. Zaolus herba in vinum injecta illud in aquam convertet.*

169 *Saavedra Symbol. Polit. 48. §. Non enecat eum Stellio.*

170 *Echeneis s. Remora. Franzius Histor. animal. tract. 3. c. 3. p. 668.*

171 *Proclus libr. de Sacrificiis & Magiâ: Nonnunquam herba una vel Lapis unus ad divinum sufficit opus. Sufficit enim Cnebison, id est, Carduus ad subitam Numinis alicujus*

apparitionem, ad custodiam verò Laurus, Ricinus, Cæpa, Squilla, Corallus, Adamas, Jaspis; sed ad præsagium Cor Talpæ; ad purificationem verò sulphur & aqua marina. &c.

172 Was die Zauberer für thörchten Glauben hierauf gehabt / erzehlt *Kircher. Obel. Pamph. l. 4. Hier. 15. p. 331. Sylvaticus superstitiosus ait, lapidem in nido Upupæ inventum, impositumque pectori dormientis secreta prodere & phantasias promovere. Kyranides quoque Sylvatico non minus superstitiosus hanc tradit operationem: Upupæ adhuc vivæ & palpitantis cor exemptum deglutito, conversus ad Solem initio horæ prima vel octavæ die Saturni, Luna Orientali, & superbibito lac Vaccæ nigræ cum modico melle. Vide ut sanum & integrum vores cor, & eris præscius eorum, quæ in coelo & quæ in terra fiunt, & quid cogitent homines, cognosces, & res, quæ in locis remotissimis geruntur, futuras.*

173 *Inter Ægyptios Lapides erant hi cumprimis memorabiles Ananchites & Atizoci; per priorem, Plinio teste lib. 37. c. 11. in hydromantia evocabantur Imagines Deorum, per alterum gestantes eum invisibiles reddebantur. Id. c. 10. Kircher. Oed. Ægypt. tom. 2. p. 2. class. 11. c. 3. p. 441.*

174 Hieher gehört der Orth *Virgil. Eccl. 8. v. 95.*

Has herbas atque hæc Ponto mihi lecta venena
ipse dedit Moeris: nascuntur plurima Ponto.
His ego sæpè Lupum fieri & se condere Silvis
Moerim, sæpè animas imis exctre sepulcris
atque satas aliò vidi traducere messes.

Propert. l. 4. 5.
Audax cantatæ leges imponere Lunæ.
& sua nocturno fallere terga Lupo.

Besiehe hiervon *Plin. lib. 8. c. 22.*

175 *Inter Ægyptios Lapides erant hi cumprimis memorabiles Ananchites & Atizoci; per priorem, Plinio teste lib. 37. c. 11. in hydromantia evocabantur Imagines Deorum, per alterum gestantes eum invisibiles reddebantur. Id. c. 10. Kircher. Oed. Ægypt. tom. 2. p. 2. class. 11. c. 3. p. 441.*

176 *Ephesiæ Litteræ Incantamenta sunt, quibus nonnullis prolatis barbaris & portentosis nominibus vel expiabant loca infesta, vel morbos abigebant, vel Dæmones adjurabant. Dicuntur Ephesiæ, eò quod Ephesi primùm ab Idæis dactylis sint inventæ, & Dianæ Ephesiæ simulacro insculptæ. Clemens lib. 1. Strom. Suidas ait, Ephesias litteras Incantationes quasdam difficiles esse, quas Cræsum in pyra dixisse ferunt: & ludis Olympicis, eum Ephesius & Milesius luctarentur, & Milesius luctari non posset, eò quod Ephesius litteras Ephesias talo alligatas haberet, cum res innotuisset, victorem, à quo triginta victi fuerant, detractis litteris succubuisse. Cui adstipulatur Diogenianus: Sunt Incantationts quædam, quas recitantes victores, in omnibus erant. Hesychius tradit fuisse sequentia:* AAski, kataski, aix, tetraz, damnameneys, aision. 1. 2. 3. 4. 5. 6. *1. tenebras. 2 lucem. 3. ipsum. 5. Sol. Verum significat. Aliter profert Clemens. lib. 5. Strom. Zonaras in Constantin. M. refert: Zambres Hebræus in aurem lauri in susurratis, statim reddidit mortuum; quem deinde Sylvester Papa in nomine Christi resuscitabit. Vide Kircher. Oed. Ægypt. d. class. 11. c. 6. p.m. 469.*

177 Dieses alles erkläret *Homer Odyss.* l. *vers. 24. 28.* Da er beschreibt / wie *Ulysses* der Verstorbenen Seelen zu sich beschworen habe:

AEgo dA aor oxy ernssamenos para mhroy,
Botron ornxa dson te pygoysion enta kai enta.
AAmpA ayto de xoas xeomen pasi nekyessin,
prota melikrnto, metepeita de hdei oino,
to triton aytA ydati. epi dA allpita leyka palynon,

Ich grub mit meinem von der Seite ausgezogenen Degen eine Grube eines Ellnbogens tief umb und umb. Umb dieselbe gossen wir mit gesammter Hand Opfer / erstlich mischten wir Meth / darnach süßen Wein / drittens Wasser / endlich weiß Mehl zusammen.

Und *v.35.*

ta de mhla labon apedeirotomhsa
es botron, ree dA aima kelainepes. ai dA ageronto
pyxai ypA ex ereboys nekyon katatetneioton
oi polloi peri botron epoiton.

Als ich aber das Vieh gefangen hatte / schlachtete ichs über die Grube. Das schwartze Blut aber floß dahin / und die Seelen der Verstorbenen versammleten sich aus der Helle / und irreten umb die Grube häuffig herumb. Endlich führet er des *Tiresiæ* Geist also redende ein *v. 94.*

allA apoxazeo botroy, apisxe de pasganon oxy,
aimatos opra pio, kai toi nhmertea eipo.

Aber weiche von der Grube / und thue den scharffen Degen weg: Daß ich Blutt trincken und dir wahrsagen könne. Und *v. 146. 147.*

ontina men ken eas nekyon katatetneioton
aimatos asson imen ode toi nhmertes enipei.

Welchen unter den Todten du wirst laßen nahe zum Blutte herkommen / der wird dir wahrsagen. Gleichmäßiges hat *Horat. l. 1. Serm. Satyr. 8. v. 23. seqq.*

Vidi egomet nigra succinctam vadere palla
cum Sagana majore ululantem (pallor utrosque
fecerat horrenda, aspectu) scalpere terram

unguibus & pullam divellere mordicus agnam
coeperunt: cruor in fossam confusus, ut inde
Manes elicerent, animas responsa daturas.

Appion Grammaticus, welchen der Käyser *Tiberius* verächtlich *Cymbalum Mundi* genennet / hat sich gerühmet: Er habe also auch Geister beruffen / und von ihnen geforschet / wo und von was für Eltern *Homerus* gebohren sey. *Plin. l. 30. cap. 2.* Ein ander denckwürdiges Exempel erzehlt *Plutarch. in vita Cimonis* von einer Adelichen Jungfrau *Cleonice,* welche *Pausanias* zu Byzanz gefangen krigt und zu seiner Lust gebraucht / hernach aber des Nachts von ihm aus Irrthumb ermordet worden. Daß selbiger Geist auch von dem Pausanias sey beschworen / ihm aber durch selbten sein schneller Untergang mit disen Worten verkündigt worden:

steixe dikhs asson, mala toi kakon andrasin ybris.
Besihe auch *Cornel. Nepot. in Pausania.*

Welcher Gestalt die Zauberin *Erichto* eines entseelten Soldaten Geist beschworen und *Sexto Pompejo* sein künftiges Glück durch ihn geweißagt habe / beschreibt *Lucan. lib. 6. Bell. civil.* in *200.* Versen. Welchem beyzusetzen die Anmerckungen *Martin. Delrio. disquis. Magic. lib. 4. c. 2. q. 6. sect. 2.* Und die Beschwerung des Geistes *Samuels. 1. Reg. 28.* nebst *Ludovic. Lavatero. Tr. de Spectris. part. 2. cap. 7. 8.*

178 Dieses alles erkläret *Homer Odyss.* 1. *vers. 24. 28.* Da er beschreibt / wie *Ulysses* der Verstorbenen Seelen zu sich beschworen habe:

AEgo dA aor oxy ernssamenos para mhroy,
Botron ornxa dson te pygoysion enta kai enta.
AAmpA ayto de xoas xeomen pasi nekyessin,
prota melikrnto, metepeita de hdei oino,
to triton aytA ydati. epi dA allpita leyka palynon,

Ich grub mit meinem von der Seite ausgezogenen Degen eine Grube eines Ellnbogens tief umb und umb. Umb dieselbe gossen wir mit gesammter Hand Opfer / erstlich mischten wir Meth / darnach süßen Wein / drittens Wasser / endlich weiß Mehl zusammen.

Und *v.35.*

ta de mhla labon apedeirotomhsa
es botron, ree dA aima kelainepes. ai dA ageronto
pyxai ypA ex ereboys nekyon katatetneioton
oi polloi peri botron epoiton.

Als ich aber das Vieh gefangen hatte / schlachtete ichs über die Grube. Das schwartze Blut aber floß dahin / und die Seelen der Verstorbenen versammleten sich aus der Helle / und irreten umb die Grube häuffig herumb. Endlich führet er des *Tiresiæ* Geist also redende ein *v. 94.*

allA apoxazeo botroy, apisxe de pasganon oxy,
aimatos opra pio, kai toi nhmertea eipo.

Aber weiche von der Grube / und thue den scharffen Degen weg: Daß ich Blutt trincken und dir wahrsagen könne. Und *v. 146. 147.*

ontina men ken eas nekyon katatetneioton
aimatos asson imen ode toi nhmertes enipei.

Welchen unter den Todten du wirst laßen nahe zum Blutte herkommen / der wird dir wahrsagen. Gleichmäßiges hat *Horat. l. 1. Serm. Satyr. 8. v. 23. seqq.*

Vidi egomet nigra succinctam vadere palla
cum Sagana majore ululantem (pallor utrosque
fecerat horrenda, aspectu) scalpere terram

unguibus & pullam divellere mordicus agnam
coeperunt: cruor in fossam confusus, ut inde
Manes elicerent, animas responsa daturas.

Appion Grammaticus, welchen der Käyser *Tiberius* verächtlich *Cymbalum Mundi* genennet / hat sich gerühmet: Er habe also auch Geister beruffen / und von ihnen geforschet / wo und von was für Eltern *Homerus* gebohren sey. *Plin. l. 30. cap. 2.* Ein ander denckwürdiges Exempel erzehlt *Plutarch. in vita Cimonis* von einer Adelichen Jungfrau *Cleonice,* welche *Pausanias* zu Byzanz gefangen krigt und zu seiner Lust gebraucht / hernach aber des Nachts von ihm aus Irrthumb ermordet worden. Daß selbiger Geist auch von dem Pausanias sey beschworen / ihm aber durch selbten sein schneller Untergang mit disen Worten verkündigt worden:

steixe dikhs asson, mala toi kakon andrasin ybris.
Besihe auch *Cornel. Nepot. in Pausania.*

Welcher Gestalt die Zauberin *Erichto* eines entseelten Soldaten Geist beschworen und *Sexto Pompejo* sein künftiges Glück durch ihn geweißagt habe / beschreibt *Lucan. lib. 6. Bell. civil.* in *200.* Versen. Welchem beyzusetzen die Anmerckungen *Martin. Delrio. disquis. Magic. lib. 4. c. 2. q. 6. sect. 2.* Und die Beschwerung des Geistes *Samuels. 1. Reg. 28.* nebst *Ludovic. Lavatero. Tr. de Spectris. part. 2. cap. 7. 8.*

179 *Herbam quandam Omomi appellatam in mortario tundentes Ditem invocant & tenebras, tum admixto Lupi jugulati sanguine efferunt & abjiciunt in locum, quo radii Solis non pertingunt. Kircher. Obel. Pamph. lib. 2. cap. 10. p. 175. & lib. 3. c. 8. p. 206.*

180 *Quidam Philosophus, teste Tzezze, xesas en petra prosopon toy xarontos, exsculpto in lapide Charontis vultu, dum pestis Antiochiæ grassaretur, & in urbe posito simulacro, luem sedavit. Apollonius Ægyptiorum more Ciconiam exsculpens in marmore, Ciconias fontes & puteos injectis serpentibus vitiantes Byzantio expulit, Herostrato teste. Idem Pestilitatem,*

Dæmone, qui specie Mendici grassabatur, lapidibus obruto sedavit. Kircher. Oed. Ægypt. t. 2. p. 2. class. 11. c. 4. pag. 447.

181 *Aspodelos* Gold-Wurtz / *herba est, quam alio nomine 'Anterikon vocant, qua Lucianus fingit Manes vesci apud Inferos.*

182 *Narrat ex Porphyrio Kircher. d. loc. cap. 5. p. 453. Sacerdotes consuevisse violentis quibusdam minis adversum Dæmones uti. c. 9. Nisi vos ita feceritis, coelos confringam, vel occulta Isidis patefaciam, vel arcanum in abysso recognitum divulgabo, aut Cistam barin, id est, navim quandam apud Ægyptios sacram, aut membra Osiridis Typhoni dispergam. Rationem ex Psello lib. de operat. Dæmon. c. 21. adjungit: quod multi Dæmones mirè timidi sint, & ita animo percellantur, ut ne comminantem quidem, quisnam sit, discernere queant; licet anicula sit.* Hieher dienet fürnemlich der Orth aus des *Statii. l. 4. Theb.*

Jam nequeo tolerare moram; cassusne Sacerdos
audior? an, rabido jubeat si Thessala cantu,
ibitis? an Scythicis quoties armata venenis
Colchis aget, trepido pallebunt Tartara motu?
nostri cura minor?
Ne tenues annos, nubemque hanc frontis opacæ
spernite ne, moneo; & nobis sævire facultas.
Scimus enim & quicquid dici, fierique timetis,
& turbare Hecaten &c.

183 Was nach Ermordung der *Agrippine* sich begeben / erzehlt *Xiphilin. in Nerone. p.m. 165. 166.* also: Als der Agrippine halben geopfert ward / verfinsterte sich die Sonne also: Daß man auch die Sternen sahe. Als die Elefanten / die des *Augustus* Wagen gezogen hatten / in Schauplatz kamen / blieben sie dar / wo die Raths-herren saßen / stehen. Und / welches Zweifels frey aus Göttlichem Verhängnüs geschahe / in die Abend-Speisen / welche zu dem Käyser getragen worden / schlug der Donner; Gleichsam als ihm eine *Harpyia* die Speisen weg raubete.

184 Was nach Ermordung der *Agrippine* sich begeben / erzehlt *Xiphilin. in Nerone. p.m. 165. 166.* also: Als der Agrippine halben geopfert ward / verfinsterte sich die Sonne also: Daß man auch die Sternen sahe. Als die Elefanten / die des *Augustus* Wagen gezogen hatten / in Schauplatz kamen / blieben sie dar / wo die Raths-herren saßen / stehen. Und / welches Zweifels frey aus Göttlichem Verhängnüs geschahe / in die Abend-Speisen / welche zu dem Käyser getragen worden / schlug der Donner; Gleichsam als ihm eine *Harpyia* die Speisen weg raubete.

Ende.

CPSIA information can be obtained
at www.ICGtesting.com
Printed in the USA
BVHW021117231222
654913BV00028B/420